La memoria

960

Giorgio Fontana

Morte di un uomo felice

Sellerio editore
Palermo

2014 © Giorgio Fontana
   Edizione pubblicata in accordo con PNLA/Piergiorgio Ni-
   colazzini Literary Agency

2014 © Sellerio editore via Siracusa 50 Palermo
   e-mail: info@sellerio.it
   www.sellerio.it

2014 settembre settima edizione

Questo volume è stato stampato su carta Palatina prodotta dalle
Cartiere di Fabriano con materie prime provenienti da gestione
forestale sostenibile.

Fontana, Giorgio <1981>

Morte di un uomo felice / Giorgio Fontana. – Palermo : Sellerio,
2014.
(La memoria ; 960)
EAN 978-88-389-3172-7
853.92 CDD-22

CIP – *Biblioteca centrale della Regione siciliana «Alberto Bombace»*

Morte di un uomo felice

A mia madre

«Ricordate», aveva detto. «Noi non dobbiamo essere gli uomini dell'ira».

1

Dunque volevano vendetta. Colnaghi annuì un paio di volte fra sé, come a raccogliere idee che non aveva o che ancora erano troppo confuse: poi appoggiò le mani sul tavolo e guardò di nuovo il ragazzino che aveva parlato.

Nell'aula messa a disposizione dalla scuola materna del quartiere c'era silenzio: macchie di sudore sotto le ascelle, le pale del ventilatore che giravano piano. Tutti aspettavano una sua risposta, l'ennesima parola buona.

I parenti e gli amici della vittima erano una trentina. Vissani era stato un chirurgo, esponente in vista dell'ala più a destra della Democrazia cristiana milanese: cinquantadue anni, biondo cenere, grassoccio. La fotografia deposta sotto la cattedra era circondata da mazzi di fiori.

Forse Colnaghi l'aveva visto una volta o due, negli anni precedenti: di lui aveva letto sul «Corriere», magari un articolo di fondo nelle pagine locali, per la posizione che stava guadagnando nel partito. A Colnaghi non piaceva quella Dc, ma chissà: magari tempo addietro si erano persino stretti la mano, presentati da un collega che voleva far carriera: magari in una sera di metà maggio, quando Milano è attraversata dalle rondini e la luce ha un colore inafferrabile: forse entrambi erano felici in quel momento, e forse Vissani aveva riso a una battuta di Colnaghi battendosi una mano sul ginocchio: e altrettanto alla svelta il medico aveva rotto il buon umore del magistrato con un'uscita infelice, una delle tante che lui aveva potuto rileggere nel faldone dell'istruttoria – qualcosa di spiacevole sui giovani o sulla necessità del pugno duro da parte del governo.

Sia come sia, poi era andata così: quel tipo volgare, odioso e incolpevole era stato ucciso il 9 gennaio 1981, a tarda sera, dalle parti di piazza Diaz. Due proiettili calibro 38 SPL. Sei mesi prima. Omicidio rivendicato da Formazione proletaria combattente, una cellula scissionista delle Br. Caso ancora aperto, in mano al sostituto procuratore Colnaghi.

A lungo si era chiesto se fosse una buona idea quella di presenziare alla cerimonia di commemorazione: dopotutto, il suo compito era di sottrarsi a quelle persone invece di andare loro incontro. Ma alla fine si era arreso: non era il caso di valutare cosa fosse o non fosse opportuno. Pensava che fra i doveri di un magistrato ci fosse, in modo ben poco ortodosso, anche quello di gestire una perdita. Era in qualche modo un parassita della sofferenza: senza delitti non ci sarebbero state pene, e dunque nemmeno magistrati: gli sembrava giusto restituire al mondo qualcos'altro ancora – il semplice, terso frutto della propria comprensione.

E dunque eccolo lì, sei mesi dopo, a ricordare quanto accaduto e ascoltare inutili, verbose considerazioni sulla pretesa bontà di quell'uomo e sui tempi che stavano attraversando. E tutto era andato bene – tutto era andato secondo copione, il ricordo del fatto, il vuoto incolmabile che ogni assassinio porta con sé, qualche sbadiglio (il dolore dopo un po' è noioso, tranne per chi ne è divorato) e infine la rassicurazione che lui e i suoi colleghi avrebbero compiuto il proprio dovere.

Era andata bene, finché il ragazzino non aveva preso la parola, alzato la mano educatamente ma con fermezza, e detto a Colnaghi che lui voleva vendetta. Voleva vendetta in quanto figlio del dottor Vissani. Gli adulti si erano guardati a vicenda senza commentare: qualcuno aveva girato il cappello fra le mani, le donne avevano abbozzato un sorriso fuori luogo. Il desiderio, in qualche modo, doveva essere comune.

Alla fine Colnaghi parlò: «Per la vendetta non sono la persona indicata», disse semplicemente, cercando di sciogliere a sua volta la tensione in un sorriso.

«Va bene», rispose il ragazzino. Era biondo come il padre, i capelli a caschetto, il naso e la bocca che tremavano a scatti. «Mettiamo che voi prendete quelli che hanno ucciso mio padre. E dopo?».

«Subiranno un processo».

«E dopo?».

«Se ritenuti colpevoli, saranno condannati».

«E resteranno in prigione tutta la vita?».

«Di sicuro per molti anni. Non saranno più in grado di nuocere a nessuno».

«Non basta», disse il ragazzino scuotendo la testa. «Non basta».

Colnaghi annuì di nuovo.

«Ti chiami Luigi, giusto?», chiese.

«Sì».

«Quanti anni hai, Luigi?».

«Quindici».

«Quindici. Vai al liceo?».

«Scientifico. Devo iniziare il secondo anno».

«Bene. Quindi dimmi, cosa dovremmo fare con l'assassino di tuo padre?».

Mormorii di dissenso, teste scosse. Colnaghi si rese conto di avere spinto le cose troppo in là, ma a questo punto aveva un'ipotesi: e tale ipotesi andava messa alla prova. Il ragazzino, comunque, non sembrò sorpreso dalla domanda. Si voltò semplicemente verso la porta, strinse gli occhi per riflettere meglio. Poi girò nuovamente la testa verso il magistrato.

«Lo ammazzerei», disse. «Lo ammazzerei subito, con le mie mani».

Stavolta ci fu un brusio, e la madre lo strattonò forte per la mano: «Luigi!», sibilò, ma senza convinzione.

Lui la ignorò. Sosteneva lo sguardo di Colnaghi, e Colnaghi comprese che non era una sfida, ma qualcosa di molto più grande e complicato, il destino di un'intera nazione che cercava di elaborare un dramma, un'intera storia di torti e lacerazioni reciproche. Perché alla fine tutto si riduceva alla solita, banalissima domanda: come spieghi a un bambino la morte del suo papà? A cosa servono le ragioni o le cause di fronte a una perdita simile? Stiamo crescendo figli pieni di rancore, si disse. Stiamo crescendo orfani che avranno bisogno di nuovi padri, e io non posso fare nulla.

Quindi fece un lungo sospiro, ed espose il suo nulla.

«Quello che dici è... comprensibile», disse. «Davvero. Come reagirei io al tuo posto? È una cosa che mi chiedo sempre. Come reagirei se fossi nei panni di tutti voi?». Allargò le braccia. Tutti lo stavano ascoltando con attenzione, ora. Colnaghi fissò quella gente sospeso fra distacco e compassione, e sentì la voce fluire da sola, lentamente: prima furono parole isolate, come soldati in avanscoperta la notte; poi tutta l'armata delle argomentazioni; e il resto di quanto aveva da tempo dentro di sé. «La vendetta è la prima soluzione che ci viene in mente. È ovvio e naturale: la legge del taglione, no? Occhio per occhio, dente per dente. Ma non funziona». Fece un lungo respiro. «Mi rendo conto che nei vostri panni forse non vorrei nemmeno sentirmi dire tutto ciò, ma la vendetta è uno strumento inutile; in primo luogo per voi stessi. E sì, certo, so che una parte di voi non vuole affatto essere migliore, ma solo prendere l'uomo che vi ha fatto così male e distruggerlo, fargli comprendere quanto dolore avete dovuto subire. Ma un complice di quell'uomo vorrà a sua volta vendetta, e colpirà un altro uomo innocente, e a tutto questo non c'è termine: alla fine di tutto resta solo la morte. Non c'è più spazio per la conoscenza, per l'amore, per una pizza, per una passeggiata: il mondo svanisce completamente, il mondo che volevi salvare. Restano solo il gelo e la vendetta. È un'ossessione da cui non si esce». Strizzò gli occhi. «E questo ve lo dico da padre e da cristiano. So che il mio compito finisce con una pena giusta per i colpevoli. Ma so anche che non basta. Che niente riparerà il vostro torto. Che non riporterà indietro tuo papà, Luigi, e non riporterà indietro nessuna delle persone che ci hanno tolto. È atroce. È atroce e non so davvero cosa fare, non ho alcuna risposta al vostro dolore. Dovete essere molto coraggiosi, perché quello che vi è capitato – quello che ti è capitato, Luigi – è qualcosa che va oltre ogni spiegazione. Credo fermamente che un giorno Dio rimetterà ogni cosa, ogni ferita come ogni colpa, ma al momento mi rendo conto che non posso dire altro. Mi dispiace che sia successo», concluse. «Mi dispiace davvero».

Uscendo, Colnaghi strinse qualche mano e scambiò qualche saluto. Alcuni dei presenti erano scoppiati a piangere, e lo ringraziavano per il discorso. Altri sembravano confusi, o persino irritati. Si allontanavano al suo passaggio abbassando lo sguardo, frugando nelle tasche alla ricerca di qualcosa. Quanto a Luigi, era rimasto in disparte: dal fondo dell'aula lo guardava in silenzio. Conosco la tua rabbia, avrebbe voluto dirgli Colnaghi; la conosco alla perfezione, posso decifrarla quasi fosse una lingua privata. Ma il mio dolore è migliore del tuo, pensò anche – e se ne vergognò. Poi scosse la testa e uscì: era esausto.

In strada si rimise la giacca nonostante il caldo, pulì gli occhiali con un lembo della cravatta e camminò fino alla fermata del tram. La tensione gli era rimasta cucita addosso, e ora non chiedeva che uno scorcio di città vista dal finestrino.

Alzò lo sguardo: le otto di sera, la stazione di Porta Genova: fra gli spacciatori, i mezzani e qualche vagabondo, gli ultimi pendolari correvano a prendere il treno. Sopra tutti loro calava il tramonto e l'aria, chissà come, sapeva di liquirizia. Colnaghi accese la pipa meccanicamente, e il tram arrivò dopo qualche boccata, il tempo di sentire il fumo riempire la bocca.

Sulla carrozza il magistrato si guardò attorno. Tre donne della sua età, una vecchia con un cappellino rosa, un paio di ragazzi in jeans che ridevano lanciandosi una maniglia del tram: forse si era staccata, forse l'avevano strappata loro.

Colnaghi chinò il mento sul petto. Da diverso tempo immaginava che anche lui, forse, sarebbe diventato un corpo come Vissani, o come i colleghi uccisi negli anni precedenti. La trasformazione era in corso, ed era strano – come portare in giro un secondo se stesso, una minuscola morte che andava germogliando nel tempo, in attesa di sbocciare. Sarebbe accaduto davvero? E dove, e quando? Qualche mese prima un collega di Torino gli aveva detto che il loro compito, ormai, era imparare a essere dei buoni cadaveri. Colnaghi aveva alzato gli occhi al cielo e risposto che magari, ecco, non era il caso di essere tanto cupi.

Una volta il suo capo gli aveva proposto una scorta, ma l'aveva rifiutata. Non era ancora in una situazione tale da accettarla, e a dirla tutta dopo la morte di Aldo Moro si era convinto che le scorte servissero solo a mettere in pericolo altre vite. E del resto non c'erano dati concreti: nessuna scheda su di lui nei covi bonificati, nessuna minaccia rilevata da parte di questa o quella organizzazione. Eppure era un buon obiettivo: un magistrato brillante, che si occupava di lotta armata da tre anni: ancora giovane, aperto al dialogo e democratico, e per di più molto cattolico.

I due ragazzi scesero alla fermata successiva, portandosi dietro la maniglia del tram. Le porte si chiusero con uno scatto, nessun altro entrò; Colnaghi si allungò per grattare la pelle nuda lasciata scoperta dalla calza, dove sentiva un lieve prurito. Il tram svoltò e una luce color ciliegia illuminò all'improvviso l'intera carrozza. Pensane una carina, si disse Colnaghi. *Qual è il miglior nome per un magistrato? Massimo della Pena.* No, no, non ci siamo: un'altra, Giacomino. Puoi fare di meglio. *L'inquirente dice all'imputato: Abbiamo tre persone che testimoniano di avervi visto. E l'imputato: E quindi? Posso portarvene centomila che testimoniano di non avermi visto!*

Ridacchiò piano. Ecco, questa era talmente da pirla che poteva riciclarla con la Franz o Micillo, o magari a cena in famiglia. La vecchia dal cappellino rosa lo squadrò perplessa, e lui si ricompose. Il tram scampanellò a un incrocio: mentre proseguiva verso nord, Colnaghi appoggiò la guancia al vetro e vide aprirsi Milano di fronte a sé come un ventaglio: le strade deserte solcate dai binari, due carabinieri di fronte a un palazzo, uno studente con i libri sotto-braccio: le forme della città che lentamente si spegnevano nel crepuscolo.

2

Erano rimasti seduti per tre ore attorno alla scrivania di Micillo, nuotando in mezzo ai fogli e passandosi l'accendino di tanto in tanto. Ora Colnaghi respirava penosamente, nell'afa del quarto piano; era venerdì, e di nuovo tardi: da più di dieci minuti stavano in silenzio, come a lasciar sbollire la fatica dai corpi. Lui era arrivato in ufficio all'alba, in bicicletta, quando ancora il giorno non aveva illuminato il Palazzo: da quell'ora aveva lavorato senza sosta, appena un panino a pranzo.

Guardò i due colleghi con cui aveva deciso di collaborare, e che di fatto coordinava lui. Micillo, il sostituto procuratore, rampollo di un'antica famiglia di giuristi casertani, sempre con il papillon allacciato anche d'estate, si faceva aria con la mano tesa. Caterina Franz, il giudice istruttore friulano, immobile e senza una goccia di sudore, continuava a leggere con un dito appeso al sopracciglio destro.

«Ho la nausea», disse Micillo a un certo punto. «La nausea proprio». Colnaghi si concentrò sulla sua mascella. La Franz sbuffò e uno dei fogli che teneva in mano scivolò a terra: fece un piccolo arco su se stesso prima di atterrare. Lei lo osservò grattandosi il lungo naso adunco.

«Mi sa che ti è caduto qualcosa», disse Colnaghi. Micillo fece una piccola risata, continuando a farsi aria con la mano. Lei lo guardò storto.

«Sei arrossita», disse ancora Colnaghi, sorridendo.

Lei strinse le labbra.

«E di nuovo. I timidi arrossiscono ancora di più, quando glielo si fa notare».

«La pianti?», fece lei.

«Ecco, ora sei un peperone».

La Franz scosse la testa e si rivolse a Micillo: «Ma come fai a lavorare con lui?».

«Non ti preoccupare», disse l'altro. «Poi torna serio».

La friulana scosse la testa sbuffando. Colnaghi si allungò con la sedia in equilibrio sulle gambe posteriori, e spiò il cielo fuori dalla finestra: quindi ricadde in avanti e batté le mani sulla scrivania. «Ricapitoliamo», disse. «Le ultime dichiarazioni della Berti ci hanno aperto un buon filone, ma c'è ancora qualcosa che ci sfugge. Cosa?».

Anna Berti era una brigatista di ventisette anni che aveva accettato di collaborare con la giustizia. Lo faceva controvoglia e piena di sensi di colpa, ma almeno qualche nome l'aveva tirato fuori: quando parlava, parlava poco e chiaro. Colnaghi era uno dei pochi a sostenere la norma che regolava il ricorso ai pentiti, approvata l'anno precedente. Ed era d'accordo con la tesi del colonnello Bonaventura: colpire i rami secchi ma lasciare in vita qualche ramo verde, in modo che gemmasse altre strade – altri nomi, altri sospettati.

I suoi colleghi non amavano trattare con i criminali e garantire impunità, ma la Berti aveva dato loro delle informazioni che non avrebbero potuto trovare altrimenti. Micillo e la Franz le maneggiavano con riluttanza, come denaro sporco, una tossina che inquinava il loro lavoro: mentre per Colnaghi erano semplicemente dati. Certo, gli era difficile lasciare fuori il lato morale, e quella stessa parola – *pentito* – suonava imperfetta: si ripeteva allora che la coscienza non c'entrava nulla, che si trattava di semplice baratto.

Ma c'era ancora da lavorare molto al riguardo: il rapimento di Roberto Peci, ad esempio, lo aveva sconvolto. Peci era il fratello di Patrizio, il primo pentito delle Br, che un anno prima aveva rivelato una quantità di dettagli fondamentali sull'organizzazione. Per vendicarsi, le Brigate di Senzani l'avevano sequestrato – e probabilmente l'avrebbero ucciso nel giro di poco tempo. Perché nessuno aveva pensato a lui, nel gestire il pentimento del fratello? Perché erano tutti una banda di idioti, concluse Colnaghi togliendo l'elastico verde a un altro grosso faldone sulla scrivania, quasi spezzandolo dalla rabbia.

«Voglio risentirla», disse Micillo. «In settimana torno a San Vittore e la risento. Va bene?».

«Perfetto», disse Colnaghi. «Io ci riprovo con la Dell'Acqua». Un'altra ragazza, arrestata più di recente: secondo le informazioni della Berti, faceva parte del medesimo gruppo che aveva rivendicato l'omicidio di Vissani. Le due organizzazioni erano state in buoni rapporti per un certo periodo – si erano anche scambiate delle armi – ma poi avevano litigato. Succedeva spesso: e sempre più spesso in quel periodo, quando la lotta armata di sinistra aveva cominciato a scivolare nel caos e nella disillusione.

«La Dell'Acqua non ti dirà niente», osservò la Franz.

«Perché è di buona famiglia», disse Micillo. «Quelli sono i più coriacei. Una come la Berti in qualche modo la compri, anche se devi mettere sul piatto qualcosa di più del previsto».

«Questo discorso non mi piace».

«Eccezioni sempre, errori mai», disse Colnaghi rimettendo d'istinto l'elastico al faldone. Era il suo motto.

Micillo alzò gli occhi al cielo.

«Io non ho ancora capito cosa vuoi dire con questa frase», disse la Franz. Girò la sua sedia in direzione di Colnaghi e incrociò le braccia. «Me lo spieghi una buona volta?».

«No, vi prego», disse Micillo. «Vi scongiuro».

Colnaghi sorrise: «Un giorno chiesero a un campione del mondo di scacchi, Michail Botvinnik, quale fosse il segreto dei suoi incredibili successi. La risposta fu: vi sembrerà deludente, ma innanzitutto cerco di fare meno errori possibile».

«Giochi a scacchi?».

«No, l'ho letto su una rivista. Ma è una bella frase».

La Franz non sembrava convinta.

«Tutti facciamo errori», disse.

«Certo. Io negli ultimi due anni ho rinviato a giudizio alcune persone dell'Autonomia milanese, poi risultate del tutto innocenti. Uno di loro, il professor Corno, mi ha pure scritto una lunga lettera piena di indignazione, in cui mi invitava a non fare di tutta un'erba un fascio, e di sapere distinguere chi la violenza non l'aveva mai usata».

«Che stronzo», ridacchiò Micillo.

«Aveva ragione. Quella lettera la conservo ancora: ed è proprio questo il punto. Quando sbaglia un cuoco la pasta viene uno schifo, quando sbagliamo noi vanno in prigione degli innocenti».

«Non dargli corda», suggerì Micillo alla Franz.

«No, aspetta, voglio capire bene. E le eccezioni?».

«Le eccezioni sono tutte le piccole sfumature su cui possiamo soprassedere, al fine di trovare la verità e portare giustizia nel mondo».

«Ad esempio?».

«Posso passare sopra a un inconveniente capitato a un amico o dare una mano a qualcuno anche se questo contravviene ad alcune piccole norme – per un bene superiore. Certo, bisogna essere molto prudenti e agire secondo la massima coscienza, altrimenti si rischia di giustificare qualsiasi cosa. Ma il solo fatto che le eccezioni esistano ci ricorda che possiamo sempre sbagliare; che le regole non sono mai fissate una volta per tutte, o scolpite nel marmo».

«È veramente un ragionamento da democristiano, Colnaghi».

«Il mio amico Mario, a Saronno, lo chiamerebbe un "elogio del dubbio"».

«E cosa c'entra con la Berti e la Dell'Acqua?».

«Non lo so», sorrise. «Nulla».

«E perché l'hai tirato fuori? Perché l'hai detto?».

«Forse perché in fondo non è un motto, ma solo un intercalare che mi piace. E tu, perché l'hai chiesto?».

Tacquero per un po'. Colnaghi accese la pipa e ricominciò a dondolare sulla sedia. Gli angoli del soffitto erano tutti anneriti, benché Micillo non fumasse molto: appartenevano all'inquilino precedente, e non erano mai stati ritinteggiati. La riunione era sul punto di finire, ma la Franz rifletteva ancora. Ogni tanto le labbra le partivano in un tic, e le mani non smettevano di inseguirsi. Gli occhi invece erano fissi sulla Lettera 22 di Micillo: «Sai battere a macchina?», chiese.

«Sì».

«Non ho mai incontrato un magistrato che sapesse battere a macchina».

«Io ne conosco un paio», disse Colnaghi.

«Dovremmo imparare tutti», osservò lei.

Colnaghi allargò lo sguardo: gli era costata così tanta fatica, riunire quella piccola squadra. Fin dall'inizio il suo metodo investigativo – mettere tutto in comune, collaborare il più possibile passandosi dati liberamente – era stato visto come la violazione di un codice personale, per non parlare della legge scritta: non c'erano norme di coordinamento. Non c'era nulla cui riferirsi per gestire lo scambio di informazioni, e dunque nessuno, semplicemente, lo faceva.

Così Colnaghi aveva vagato per quasi due anni nel ventre del Palazzo, cercando di convincere i colleghi che i sistemi di un tempo erano saltati, che non era più l'epoca di indagini solitarie: alla rete di connessioni del terrorismo era necessario contrapporne una più solida e forte. Ma quante volte si era dovuto scontrare contro un muro di stanchezza, o persino di omertà e paura. Finché non aveva trovato quei due: Micillo, il casertano calvo di ottima famiglia, raccomandato e dunque poco considerato dai più (ma in realtà dotato di una logica luminosa, perfettamente consequenziale), e la Franz – la friulana comunista senza il minimo senso dell'ironia, piovuta da chissà dove, con quegli occhi sempre cerchiati di viola per l'insonnia. Era difficile farli lavorare insieme; ma lui in qualche modo ci riusciva.

Sentirono una porta sbattere lungo il corridoio. Micillo si alzò e fece finta di riordinare i fogli: rimise una sentenza nel faldone, raccolse le trascrizioni dell'interrogatorio Dalla Bona e le sbatté sulla scrivania per pareggiarle. In mezzo a loro il ventilatore spostava la poca aria disponibile.

A un certo punto la Franz mormorò: «Non mi piace lavorare su queste cose. Lo so che l'ho già detto, ma è così».

Colnaghi e Micillo si guardarono. La crisi di coscienza dei magistrati di sinistra: un classico che entrambi non potevano reggere.

«Mi sento a disagio», si giustificò lei. Micillo tossì due volte di fila. C'era il rischio di una lunga confessione.

«Possiamo convenire che nessuno di noi ha più le forze di lavorare?», disse al volo Colnaghi.

«Conveniamo».

«E allora andiamo in pace».

Si alzarono entrambi, mentre la Franz rimase seduta.

«Non devi sentirti a disagio», fece Micillo battendole una mano sulla spalla. Lei accolse il gesto come un invito a proseguire.

«Lo so. Lo so. Ma non posso farne a meno».

«Ne abbiamo già parlato tante volte, Caterina. Non dovremmo parlare di politica».

«Non stavamo parlando di politica, infatti. Ma alla fine, per forza di cose, si ritorna sempre lì».

«Be', sono questioni private».

«Private, private... Sono questioni pubbliche, invece».

«Non in questa stanza».

«Vogliamo andare?», disse Colnaghi, rigirandosi la pipa fra le mani.

La Franz lo fissò: «Ti brucia, eh?».

«Prego?».

«Lo so, che ti brucia».

«Ma che stai dicendo?».

«Non ti piaccio, è inutile girarci intorno. Non piaccio davvero a nessuno dei due». Si morse un labbro. «Lo sapete, è un problema nostro, e... Non è facile, ecco. E voi questo non potete capirlo».

«Ragazza mia...», cominciò Micillo.

«Non mi chiamare *ragazza*. Lo sai che non mi piace se mi chiamano così».

Colnaghi sospirò e si intromise: «Gente, per favore. È tardi, fa caldo e siamo tutti stanchi. Non ha senso litigare ora. Ce ne andiamo a casa?».

I tre si misurarono ancora un poco con gli sguardi, e di colpo si videro per ciò che erano: corpi smagriti ed esausti. Il ronzio del ventilatore era l'unico dettaglio su cui potevano concentrarsi. Poi scossero la testa in simultanea e uscirono, uno dietro l'altro, nei corridoi del Palazzo, senza aggiungere nulla.

3

Colnaghi si attardò nei bagni del piano, con l'asciugamano e lo spazzolino che teneva in ufficio. Si lavò i denti con cura e tenne a lungo i polsi sotto l'acqua fredda, guardando l'immagine nello specchio. Stava invecchiando? Le guance parevano più incavate del solito. Mentre si asciugava le mani si fece una linguaccia. Riaprì la porta solo quando fu sicuro che i colleghi fossero già usciti: poi finalmente scese le scale.

Fuori c'era ancora un chiarore, e nella sera d'estate il perimetro attorno al Tribunale prendeva una nota più astratta: era deserto, come se il Palazzo fosse stato trasportato di colpo in un oriente qualsiasi, o in una città disabitata: i milanesi serrati in casa di fronte alla televisione, e nemmeno un pazzo che cantava ai muri delle vie.

Colnaghi slegò la catena della bicicletta nel cortile, e per strada si attardò qualche minuto per verificare la solita, personale teoria: era il momento ideale per un agguato, dunque se non lo facevano fuori adesso, sarebbe stato salvo. Nulla accadde. Esperimento riuscito per la duecentesima volta o giù di lì.

Percorse la circonvallazione interna fino a Porta Venezia e di lì risalì corso Buenos Aires fino a piazzale

Loreto e oltre. In piazza Durante svoltò a destra. Aveva trovato un bilocale in affitto a buon prezzo in via Casoretto, una zona popolare ai limiti di Lambrate. Da un paio d'anni gli impegni erano diventati troppi, e la sua presenza in città era richiesta di continuo. Dunque era stato costretto a trovarsi una sistemazione per la settimana, e tornare in provincia solo nei weekend: sua moglie non era molto d'accordo, ovviamente, ma c'era stato poco da discutere.

Così Colnaghi aveva iniziato una vita da universitario fuori sede – da scapolo, diceva lui – con una decina d'anni di ritardo: e benché la famiglia e il paese gli mancassero, in quella storia c'era qualche lato positivo. L'isolamento, innanzitutto. E il paesaggio. Gli avevano dato del pazzo, per essere andato a ficcarsi lì: e certo sapeva che la mitologia della zona gli era opposta; era il quartiere della banda Bellini, «quelli del Casoretto» appunto: la periferia dei picchiatori rossi.

Ma a lui piaceva. Che poteva farci? Ecco una manciata di strade dimesse, punteggiate di quando in quando da negozi, officine di meccanici, minuscoli alimentari incassati in un angolo, e portoni che la domenica si aprivano rivelando, quasi per incantesimo, una vecchia corte – un albero, un'aiuola fiorita: e c'era sempre qualche perdigiorno ai tavolini d'alluminio di un bar, e sempre qualche signorina che voleva fermarti per chiedere d'accendere: ecco quelle strade, dal limitare di Lambrate al deposito dei tram all'angolo con via Teodosio, dalla cui bocca uscivano all'alba i veicoli, scampanellando nella nebbia o sotto la prima luce, e che la notte tornavano a dormire.

Colnaghi lasciò la bici nell'androne e camminò un po' nella luce sfatta per liberare le idee. In via Mancinelli, a due passi dal suo appartamento, dei fascisti avevano ammazzato due ragazzi del centro sociale Leoncavallo, Fausto e Iaio. Colnaghi passava spesso vicino a quel muro – era una storia così tremenda e così vicina che ogni tanto sentiva il bisogno di ricordarla – ma stavolta preferì andare verso sud. Costeggiò i binari del treno, perdendosi nelle gradazioni di grigio: fece zig zag fra le vie sino a terminare dalle parti della stazione, dove un gruppetto di prostitute stava litigando davanti alle luci porpora di un locale. Svoltò a destra e ripercorse il medesimo reticolato di strade all'incontrario.

A un certo punto un tonfo gli fece saltare il cuore. Si voltò di scatto, ma era solo un cassonetto richiuso malamente da un pensionato che gettava l'immondizia. Ripensò al discorso del collega torinese sul diventare cadaveri: si passò una mano sul collo e poi rise nella strada deserta.

Quando tornò all'appartamento lo trovò intatto e polveroso. Il segno della solitudine che non lasciava traccia, e forse proprio in quello si mostrava. Aveva stipato il frigorifero di yogurt e affettati, la dispensa di frutta secca e barattoli di verdure precotte – anche se poi finiva quasi sempre per mangiare un paio di tranci dal pizzaiolo pugliese all'angolo, un vecchio che (almeno stando alla vulgata) era nato in America, figlio di due emigrati, e dopo quindici anni in Minnesota aveva deciso di tornare in patria. L'insegna del suo locale diceva *Il trancio migliore di Milano*. Colnaghi non poteva verificare la storia, ma si divertiva ad ascoltarlo mentre raccontava del suo assurdo viaggio di ritorno, dalle sterminate lande del nord a New York, e del lungo tragitto in nave che si era pagato come cameriere, e del suo sbarco a Genova senza un soldo.

Colnaghi sedette sul letto e guardò il muro di fronte a sé. Non aveva un televisore, non aveva nulla. Ecco il mio covo, pensò. Ecco lo specchio dei luoghi dove si riuniscono i miei nemici: viso a viso nella medesima reclusione: lontani da coloro che amiamo, come se questo ci rendesse più puri. Certo, il cuore monacale di quel posto – le piastrelle sbeccate, il tavolo in formica color prugna, la finestra che guardava sul cortile dove solo i gatti si attardavano – era una mezza scusa: i figli e la moglie gli mancavano, e persino il tragitto da pendolare sui treni delle Ferrovie Nord. Eppure qualcosa, in quella vita, non smetteva di attirarlo.

Cominciò a svestirsi guardando il crocifisso che aveva appeso sopra al letto, l'unico dettaglio in una parete completamente nuda. In pigiama si inginocchiò e recitò due Padre Nostro e due Ave Maria – il minimo sindacale per il buon sonno, come gli aveva insegnato don Luciano. Da bambino amava pregare in piedi. La genuflessione gli sembrava parte di un rito troppo vistoso: puzzava quasi di idolatria. Invece in quell'appartamento aveva ricominciato ad apprezzarla: fatta da solo era una semplice ammissione d'umiltà. Il Creatore è infinitamente più grande, e tu – tu sei appena un briciolo di terra animata.

Pregava con cura e devozione, come aveva sempre pregato: le formule a mezza bocca, le mani raccolte in grembo, gli occhi chiusi: sentiva la città allontanarsi debolmente attorno a quelle parole, ogni sillaba un gradino per scendere ancora più lontano, più a fondo: e nel silenzio che ne seguì – poco dopo l'ultimo amen, poco prima del secondo segno della croce – non fu nient'altro se non ciò che desiderava: un uomo solo di fronte al proprio Dio.

Come spieghi a un bambino che il suo papà è stato am-
mazzato?

Certo, puoi cominciare con una lunga premessa fatta
di problemi e prospettive: puoi sfumare le cose, cercare
appoggio nelle tante righe scritte, e dire persino che l'o-
micidio deriva da un quadro più complesso: ma il fatto
non troverà mai una ragione in grado di placarti. E
quella perdita – quel dolore unicamente tuo, la singola
persona che ti fu strappata – non smetterà di essere ir-
reparabile: sfugge alla catena di cause ed effetti, rimane
come sospesa in un vuoto.

Oppure puoi raccontare la storia. Per lui era stato così:
del resto non c'erano altri mezzi, la guerra si era portata
via tutto, i dettagli per primi: ed era come se le cose, con
il tempo, si fossero assottigliate: ridotte ad altro, a frammenti
che sua madre metteva insieme di volta in volta, ripetendo
i fatti in maniera sempre più risicata, con il solo scopo di
ridurli a una morale: le interessava che il figlio dormisse
la notte e nient'altro. I vecchi compagni, invece, erano
sempre contenti di usare altre parole. Volevano scolpire
una figura diversa di fronte ai bicchieri in osteria: un
uomo che non si era arreso, una vittima da onorare.

Per tutta la vita, Giacomo cercò di ricucire quei due lembi per ottenere un'immagine del padre il meno sfocata, il più coerente possibile con il volto in bianco e nero che lo fissava da una cornice, sulla credenza. E dove non sarebbero arrivati i ricordi altrui, sarebbe arrivata la sua fantasia. Avrebbe inventato suo padre come sentiva giusto, l'avrebbe afferrato per mano e strappato all'oblio in cui era caduto, per riportarlo infine a casa.

Perché niente più avrebbe potuto salvarlo da quella solitudine, o curare il suo dolore: ma forse, c'era ancora qualcosa che poteva salvarlo dalla rabbia.

La storia, dunque.

Ernesto Colnaghi stava al tornio alla Bertarelli di Saronno, una fabbrica di viti e altri particolari di precisione. Era uno come tanti, come tutti. Vent'anni, i capelli neri, e l'unico dettaglio degli occhi azzurri a renderlo appena diverso dai compagni – non più bello, solo più semplice da notare. Veniva dalla Cassina, al confine con Solaro: famiglia di contadini, tre sorelle, una moglie – la Lucia Ferrari, figlia del mediatore – e una bambina di pochi mesi.

La coppia era andata a vivere nella corte in centro dove stavano i Ferrari, e la cosa a Ernesto non piaceva granché – il suocero beveva molto ed era troppo amico del podestà, gli zii erano dei paolotti schifosi – ma se la faceva passare. La figlia Angela, che portava il nome della nonna morta qualche anno prima, era in salute.

Poteva andare peggio, insomma. L'Ernesto era stato riformato perché molto magro e con una gamba un poco

37

zoppa (che in realtà non lo impediva più di tanto). Suo fratello maggiore, invece, era stato arruolato due anni prima ed era finito in Russia. Ogni tanto mandava un biglietto per rassicurare la famiglia: «Caro papà, caro Ernesto e care sorelle, vi scrivo questa sera sperando che le mie parole arrivino in fretta. Sto bene mi nutro e non fa tanto freddo e comunque ho un buon cappotto. Vi penso sempre e prego Dio di rivedervi presto». Le lettere si erano fermate alla metà del 1942. Ce ne fu un'ultima senza luogo e senza data. Poi più nulla.

I fascisti avevano tagliato la mensa per i poveri al dopolavoro, e una mattina si erano presentati a casa di sua madre per chiedere tutto il rame che c'era in casa: le avevano lasciato, come da ordini, solo il paiolo per la polenta. Fu allora, forse, che all'Ernesto vennero le idee. In famiglia si limitò a fare il buon padre e l'operaio come aveva sempre fatto, e nessuno poteva sapere dei suoi furori notturni: con nessuno ne parlava, del resto, perché parlava poco. E comunque non c'era molto da fare al riguardo.

Nella primavera del '43 tornarono alcuni superstiti dal fronte orientale, ma non suo fratello; le operaie della Cemsa fecero uno sciopero di cui si parlò a lungo, e alla mensa della fabbrica cominciò a girare soltanto una pasta nera e fredda che faceva schifo. Ma poteva andare peggio, si ripeteva l'Ernesto. Non erano poveri come i Beretta, ad esempio, che avevano ironicamente lo stesso cognome dei macellai del centro (e per questo un soprannome diverso, Cibà gli uni e Cibarèll gli altri): i loro figli chiedevano la carità di nascosto e la nonna dormiva nell'androne di una stalla con solo due coperte addosso, e ogni tanto la trovavi di fronte a un'osteria di via San Cristoforo a farsi offrire un bicchiere di vino e piangere.

Poteva sempre andare peggio. Ma, si chiedeva poi l'Ernesto, era davvero così?

Intanto la Lucia era di nuovo incinta e ancora più bella: come un colore che per difendersi si sposta, paradossalmente, su una nota più vivida. Mentre la guardava dormire la notte, in quella casa di corte che tanto odiava, i suoi tormenti crescevano.

Durante l'estate trovò un manifesto contro il carovita, incastrato sotto un tornio. Lo lesse e gli sembrò che dicesse, in modo franco e diretto, tutte le cose che aveva in testa da mesi. Si sentì compreso, una sensazione che non aveva mai provato: c'erano altri come lui. Allo sciopero successivo partecipò e venne picchiato dal caporeparto: per una settimana si cambiò di nascosto dalla Lucia, per evitare che vedesse i lividi sul torace. Tutto stava accadendo molto rapidamente. L'Ernesto si passava un dito su quelle macchie gonfie e bluastre e gli sembrava quasi di accarezzare una medaglia, anche se non avrebbe saputo dire a quale valore.

Gli scioperi continuarono e lui non se ne perse uno. Il suocero lo venne a sapere da un crumiro della fabbrica, e gli disse che un genero comunista lui non lo voleva mica: l'Ernesto rispose che cercava solo di fare la cosa giusta. Elencò le frasi che lui e gli altri si ripetevano a vicenda per darsi forza, quando di notte dormivano in mensa facendo girare una sigaretta in cinque, e finché era estate tutto bene, ma poi? Il padre della Lucia disse che era uno scemo, e più scemo lui a far sposare sua figlia a un strolegh del genere.

A fine luglio ci furono due giorni di sciopero di massa, e l'Ernesto scampò la prigione per un soffio. Nel cielo si vedevano sempre più aerei, esplodevano sempre più tuoni di bombe giù a sud. A volte si sentiva un po' solo. La Lucia non voleva saperne di quei discorsi e lo pregava soltanto di venire a messa con lei e farsi passare quella rabbia che aveva sempre addosso. Era un cattivo marito? Eppure non beveva, non picchiava la moglie e adorava sua figlia. Cosa c'era di sbagliato?

Fu allora che cominciò a frequentare un gruppo delle sue parti, alla Cassina: la prima volta non troppo convinto, poi invece sempre più spesso. Erano gli unici a capirlo. Tornava dalla fabbrica, stava un po' con la Lucia e l'Angela, e poi usciva per un salto in osteria – così diceva, ma sua moglie sapeva bene che erano storie: presa la bicicletta l'Ernesto tagliava in due il paese e usciva verso la campagna, si infilava in un sentiero fra le robinie e quatto quatto entrava in un piccolo casolare dismesso, poco più di un ripostiglio per le zappe: era lì che l'Egidio Roveda aveva stabilito il quartier generale, e continuato la sua lotta.

A Milano il Roveda era un pezzo grosso, amico di uno dei capi del movimento. Aveva quarantadue anni ed era scapolo, e di recente era sfollato da un fabbricone di Sesto San Giovanni a causa dei bombardamenti, come tanti altri, e per un mese aveva dormito con le bestie di un contadino amico del padre. Da giovane si era innamorato di una rivoluzionaria di Como, ricca di famiglia e per *metà francese, e con lei aveva fatto piani per scappare a Parigi, lontano dai fascisti e lontano da quel paese di merda. Erano scappati nel '26, e avevano trovato un alloggio in fretta grazie a qualche altro profugo: passavano le notti a progettare rivolte popolari e nuove riviste da fondare, per poi cadere addormentati all'alba, l'uno nelle braccia dell'altra. Ma dopo qualche mese la signorina l'aveva lasciato – oh, la rivoluzione dopo un po' l'era noiosa, eh! – e lui era tornato in Italia senza un soldo e senza amore. Così per vendetta si era buttato sui libri: tutti quelli che riusciva a trovare sottobanco. Lenin, certo, ma anche Trockij: e infine Marx, arrivato per ultimo, prima nel compendio del Cafiero e poi in originale. Leggeva a fatica anche il francese, cercando di far leva sul dialetto un poco simile. All'Ernesto quei nomi parevano formule di incantesimi ancora oscuri, in grado di aprire chissà quali porte. Li riconosceva dal suono: picchi improvvisi nel paesaggio scosceso dei monologhi di quell'uomo.*

Lo osservava: alto alto, sbarbato, con i capelli già quasi tutti bianchi e gli occhi nerissimi, un po' strabici: ogni tanto si interrompeva per prendere una sorsata di latte di capra, e più spesso alzava la voce per attirare l'attenzione del gruppo. Ma non ce n'era bisogno. Usava parole semplici, che tutti potevano capire, e raccontava il dolore meglio di chiunque, certo meglio di un prete: poteva andare peggio, e sapete cosa? Il peggio sarebbe arrivato eccome. Per loro, per tutti. Pane nero e ammuffito e calci in culo. Il contadino da cui aveva dormito, spiegò, aveva cominciato ad andare di notte nei boschi a cercare porcospini con una lampada a mano: il giorno dopo sua moglie li bolliva nel pentolone, e quella era la carne. Ma erano pochi anche i porcospini. Era poco tutto, e non c'era niente da sperare, e la guerra andava male.

E allora?

E allora, diceva il Roveda tirando fuori un pacco di volantini, bisognava lottare.

4

Daniele era ammalato e sua moglie voleva rimanere a casa con lui, quindi la domenica successiva, di ritorno a Saronno, Colnaghi andò a messa da solo. La predica fu banale ma convinta – è nei tempi più ardui, è nella crisi personale che emerge l'autentica fede – e Colnaghi scambiò il suo segno di pace con una ragazzina annoiata dietro di lui. Ammirava la gravità dei sacramenti, il modo in cui lo restituivano a un ordine più semplice e giusto: credi e sarai salvo, la fede minimale della sua stirpe. La fede dei contadini. Durante la comunione osservò due vecchie tenersi a braccetto e avanzare faticosamente verso l'altare: appena ricevuta l'eucarestia, una delle due inciampò e sarebbe crollata a terra se l'uomo dietro di loro non l'avesse sorretta in tempo. Un bambino in quarta fila ridacchiò.

Di ritorno a casa Colnaghi si fermò in latteria. La Pinuccia, dietro il bancone, stava sgridando la sua commessa: come lo vide agitò la mano: «Dottore!», lo chiamò. «Dottore, come sta?».

«Bene, Pinuccia, lei?».

«Insòma. Un caffè?».

«Sì, grazie, e una decina di paste. Ho il maggiore malato, gli faccio una sorpresa».

«Chissà come sarà contento. Miste?».

«Metà frutta e metà cioccolato».

«Adesso le preparo tutto. Si accomodi. E tu», disse rivolta alla commessa, «la prossima volta che mi rovini il gelato, vedi».

Al tavolino Colnaghi accese la pipa e si mise a sfogliare i giornali: ignorò la cronaca e filò diritto alle pagine dello sport. Il campionato era finito da un mese, ma finalmente era iniziato il Tour: alla tappa del 3 luglio aveva vinto Wijnands, anche se Hinault restava primo. A Colnaghi piaceva Knetemann – quello che aveva fregato Moser al fotofinish nel '78, al mondiale su strada – ma il francese sembrava in forma.

Bevve il caffè, prese il vassoio con le paste e tornò a casa. Abitava fuori dal centro di Saronno, e camminando lungo via San Giuseppe vide ragazzini giocare a calcio in un prato spelacchiato, madri urlare alla finestra per chiamarli a pranzo, un vecchio sfrecciare troppo svelto in bicicletta mentre due cani gli abbaiavano contro: e di colpo – quasi a rendere quel mattino perfetto – una maglia si staccò dai fili di un bucato steso, già asciutto: e spinta dal vento planò giù con dolcezza sulla strada, a pochi passi da lui, una macchia bianca nell'ombra del marciapiede.

A casa, Mirella e sua madre stavano giocando a carte in salotto. Colnaghi appoggiò le paste sul tavolo in cucina e si mise a guardarle. Nessuna delle due accennò a un saluto. La pendola nell'angolo batté le undici e mezza. Faceva molto caldo.

«Be'?», disse.

«Be' cosa?», disse sua madre.

«Buongiorno, come va, che bella cera. No?».

«Giacomo, ci siamo visti stamattina prima della messa».

«Ma è sempre buona norma salutare».

Sua madre scosse la testa: «Signur».

Di buon umore, Colnaghi tirò fuori la pipa e la smontò tenendo i pezzi in bilico sulle gambe. Ripulì il cannello con lo scovolino, quindi passò a grattare il fornello. Una volta finito contemplò le sfumature della fiamma della radica, alzando la pipa contro la luce che fluiva nel soggiorno. Le donne gettarono le ultime carte sul tavolo, in silenzio: poi Mirella le raccolse goffamente e riprese a mescolarle. Mise il mazzo di fronte a sé, la vecchia lo tagliò con noncuranza, e lei ricominciò a distribuire.

«Che si mangia di buono?», chiese Colnaghi.

«Pasta al forno», disse sua madre. «Di secondo, arrosto con patate».

«Un menù fresco ed estivo, benissimo».

«Uè, sa ta va ben nò, ta poedet andà al ristorante».

Colnaghi scoppiò a ridere.

«No, no, va benone. Chi vince?».

«Lei», disse Mirella alzando il mento in direzione della suocera. Colnaghi le osservò entrambe per un istante: la madre, con quei lineamenti nobili, incongrui per le sue origini, ancora bella nonostante le rughe e la fatica – e la moglie, giovane e sgraziata, i due grossi nei sulla guancia destra.

«A briscola è imbattibile», commentò Colnaghi.

«Veramente stiamo giocando a scopa».

«È imbattibile pure a scopa». Batté le mani sulle ginocchia. «Bene, vado a salutare le creature».

Salì al primo piano. Nella camera con una stella blu sulla porta c'erano Daniele e Giovanni. Colnaghi diede un bacio al figlio più piccolo – sedeva tranquillo nel lettino giocando con il suo vecchio sonaglio multicolore – e poi si avvicinò a Daniele, che invece tossiva guardando il soffitto. Le lenzuola erano scomposte e sul bordo del materasso stavano in equilibrio un paio di albi di *Topolino*.

«Ehilà», fece.

«Ciao», disse Daniele.

«Stai meglio?».

«Insomma».

«Dai, che stamattina avevi solo trentasette e mezzo».

Lui si strinse nelle spalle.

«Ma davvero, si può sapere come hai fatto a prendere la bronchite con questo caldo?».

«Boh».

Colnaghi gli carezzò la fronte.

«Avrai sudato e preso freddo», commentò.

«Non lo so. Forse». Si alzò appoggiando la schiena contro il cuscino. «Senti papà, ma quand'è che torni a casa?».

«Eh? Non lo so. Sai che ho tanto lavoro da fare, non dipende da me».

«Ma è un sacco di tempo che sei via».

«Però il venerdì torno sempre. E a volte anche prima».

«Stavolta sei tornato di sabato. Sabato sera», precisò.

«Hai ragione».

«E comunque non è la stessa cosa».

Colnaghi sorrise.

«Dai», disse. «Intanto fra un po' ti porto in Liguria e stai al mare con la mamma e gli amici. Poi cerco di organizzarmi meglio, promesso».

«Il posto è lo stesso dell'anno scorso?».

«Sì».

«E viene anche la nonna?».

«No, lei rimane qua».

Daniele annuì fra sé, con aria seria. Ogni volta che lo guardava, Colnaghi era stupito dalla maturità del figlio: non tanto per ciò che diceva, ma per il tono sempre raccolto: persino nelle lamentele o nei capricci c'era una nota sobria.

Il bambino tossì forte nella mano, poi tirò su col naso: «Papà».

«Dimmi».

«A settembre facciamo l'abbonamento allo stadio?».

«Vediamo».

«Mi avevi promesso che l'avremmo fatto!».

«Ti avevo promesso che ci avrei pensato».

«Tommaso dice che ci va sempre, che va al primo anello con suo zio».

«Sì, ma Tommaso è milanista».

«E allora?».

«E allora dei milanisti non ci fidiamo. Giusto o no?».

Daniele si limitò a sorridere.

«Bravo. Adesso vai a lavarti, fra un quarto d'ora è pronto in tavola. Ti ho preso anche una sorpresa».

Lungo la parete delle scale, Colnaghi trovò un nuovo dettaglio: l'ennesima riproduzione di una copertina dei Beatles che Mirella aveva ritagliato da chissà dove, messo in cornice e appeso. Scosse la testa e proseguì. In cucina sua madre stava aprendo una bottiglia di vino. Uscì nel piccolo giardino che avevano sul retro: Mirella stava annaffiando gli odori e i due alberelli che avevano piantato.

Colnaghi incrociò le braccia sul petto. Quella casa era stata un compromesso per tutti. Quando si erano sposati il piano era diverso: sua madre sarebbe andata a Rescaldina dalla sorella (che si era sposata con un geometra pronto a ereditare lo studio di famiglia); ma alla fine aveva deciso che non era davvero il caso di «cambiare aria», benché si trattasse solo di pochi chilometri. Allora Colnaghi e Mirella avevano comprato in fretta e furia quella villetta un po' fuori mano, verso i campi. Vista la zona, il mutuo non era dei peggiori: e comunque, con la promozione, Colnaghi aveva avuto un aumento di stipendio.

Al piano terra s'era installata la vecchia, ricreando il piccolo regno di bottoni e fili e aghi che era stata la casa in corte dove Colnaghi era cresciuto: l'assenza del marito colmata da rotoli di stoffe e qualche gomitolo quando le veniva voglia di usare i ferri; il manichino della sartina aspirante modista; il metro giallo che Colnaghi usava per il tiro alla fune con la sorella: e sempre uno spillo in agguato nel salotto.

L'acquisto della casa aveva provocato uno scisma con i parenti della corte in centro dove lui e la sorella erano cresciuti. Capitanati da zio Carlo, mezzo ubriacone come il nonno e con una mano in tutti gli affari della parrocchia locale, i suoi parenti avevano visto in quell'allontanamento un affronto all'unità del corpo familiare: erano seguiti litigi senza fine, tentativi di mediazione da parte della madre, una cena di Natale segregati e infine la decisione da parte di Colnaghi di non tornare più in quel posto. Era stato come tirare una riga sopra la sua infanzia di corse e partite a calcio nel cortile, un caos fumoso fatto di ghiaia, Topolino parcheggiate contro i carri del bestiame, fienili adattati ad alloggi, tavolate da dodici persone e tutti che si facevano gli affari di tutti. Un po' gli dispiaceva, anche se quel posto puzzava sempre di letame.

Colnaghi percorse i pochi metri del giardino, annusando l'erba che aveva tagliato la domenica precedente. Si appoggiò alla seggiola di legno, di fianco alla moglie, e con la mano sinistra si coprì la fronte per guardarla controluce. Piegava i rami del piccolo albicocco, forse per controllare la presenza di insetti. Poi prese un annaffiatoio in plastica verde e versò dell'acqua intorno alle radici.

«Allora?», chiese da lontano.

«Allora niente», disse lei.

«Sicura? Hai un'aria scontrosa».

«Ma va'».

«Sicura?», ripeté ancora lui.

Lei appoggiò l'annaffiatoio a terra e carezzò con dolcezza una foglia, poi si voltò e fece un sorriso breve: «Sicura».

«Dai», disse Colnaghi avvicinandosi. «Settimana prossima ti porto a cena. Vieni giù a Milano, andiamo da qualche parte in centro. Ti va?».

Lei annuì. Lui le diede un bacio di sfuggita sui capelli e la chiuse in un abbraccio. Era piccola e quasi immobile, e sentì solo i pugni di lei chiudersi alla base della sua schiena, come a non volerlo lasciar partire mai più.

5

Mario sedeva fuori dal bar, ai tavolini di pietra: leggeva un libro dalla copertina verdognola. Colnaghi si avvicinò in silenzio e gli diede uno schiaffo da dietro sulle spalle: lui fece un salto.

«Ma sei uscito matto?», gridò. Due vecchi alzarono la testa per guardarli, poi la fecero ricadere sulla mano di tressette «ciapa nò». Una carta da gioco volò a mezz'aria e atterrò sul tavolo.

«Eh, che carattere!», rise Colnaghi. «Dai, cosa prendi?».

«Cosa vuoi che prenda. Un caffè».

Colnaghi fece cenno al barista attraverso la porta e alzò due dita. Il barista annuì.

«Alura», disse poi.

«Alura. Come ti vanno le cose?».

«Si lavora come bestie, il capo non mi sopporta, nessuno mi capisce: tutto come al solito».

«Qualche novità?».

«Niente di particolare, ma ho una pista buona. Dillo, ai tuoi amici giornalisti, che la Procura di Milano non dorme mica».

«Non ho amici giornalisti».

«Quel tizio della "Prealpina"...».

«Ma chi, Torcato? Quello è un pirla, lascialo perdere».

Colnaghi masticò aria e tamburellò con le dita sulla copertina del libro di Mario.

«Nel suo pezzo dell'altro giorno diceva che a Palazzo di Giustizia mancano solo i materassi».

«Te l'ho detto, è un pirla. Ed è anche solo come un cane, più solo di me. Ignoralo».

Dal tavolo dei giocatori di rubamazzetto si alzò una bestemmia. Una donna passò di fronte al bar annusandosi le mani.

«La famiglia come va?», chiese Mario.

«Bene. Un pranzo tranquillo».

«Daniele sta meglio?».

«Ma sì, una bronchitina. Dagli due giorni di tempo e tornerà a giocare all'oratorio».

«Secondo me a quel bambino mica gli piace, giocare all'oratorio».

«E tu che ne sai? E soprattutto, dove sono i nostri caffè?».

«È un tipo introspettivo. Gli piace leggere, proprio come allo zio Mario. Cerca di fare il bravo calciatore come i marmocchi della sua età, ma lo fa solo per farti piacere».

«Non sapevo fossi anche uno psicologo».

«Cerco solo di dirti che devi tenerlo da conto».

Colnaghi registrò l'osservazione e strinse le labbra. Mario si incupì a sua volta, come ogni volta che si parlava dei figli di qualcun altro. Ripose il libro nel borsello e prese a sbuffare e lamentarsi del caldo. Arrivarono i caffè, li bevvero in silenzio passandosi ogni tanto una mano sul collo per levare le zanzare, quindi rientrarono. I due ventilatori a pale, appesi al soffitto basso, ronzavano lentamente. Dalle vetrate opache non filtrava un soffio d'aria. Colnaghi pagò per entrambi al bancone. Alzando lo sguardo vide un'insegna a specchio su cui un'infermiera piacente offriva loro un bicchierino: *Amaro Isolabella!*

Mario diede un'occhiata all'orologio: «Dai, Giacumìn, accompagnami in libreria. Devo sistemare un po' di cose».

La storia di Mario era triste: ma anche bella, e questo era un problema. Era una di quelle storie romantiche, partorite da una mente ostinata, che voleva soltanto guadagnarsi un lieto fine.

Figlio di un grosso commerciante della zona, Mario faceva parte di quella fetta di giovani cattolici che avevano studiato Lettere e sognavano un futuro in bilico fra grandi riforme e bei tempi andati. Voleva diventare un nuovo tipo di intellettuale, impegnato ma colto, che sapesse citare Mallarmé o Wordsworth all'occorrenza – e non solo don Sturzo.

Dalla fine degli anni Sessanta aveva provato in tutti i modi a farsi strada nella politica locale (con il fine abbastanza evidente di diventare sindaco) ma proprio quando erano arrivate le chance più concrete, aveva divorziato dalla moglie. Fu uno dei primi, e di certo uno dei pochissimi cattolici. Era stato uno scandalo in tutta la provincia, e l'aveva screditato completamente fra i ranghi della Dc saronnese. In un certo senso era stato un gesto d'amore – il suo matrimonio era un disastro, e sia lui che la moglie l'avevano capito in fretta – ma per i veri democristiani, in fondo, l'amore restava una cosa distante e incomprensibile.

(E forse lo era anche per Colnaghi, il quale aveva cercato fino alla fine di convincere l'amico a non divorziare. Interminabili sere al bar in cui Mario, mezzo sbronzo e disperato, spiegava che l'affetto che lui e sua moglie Giovanna dividevano era ormai ridotto a un pasto misero, con cui nessuno dei due era in grado di sfamarsi: dopo tre anni si trovavano già insostenibili. Non erano diventati estranei, magari fosse stato così – dopotutto era il destino di tante coppie che conoscevano. No, in un certo senso erano diventati ancora più intimi, ma nella fatica e nella frustrazione: l'amore aveva cambiato segno, come colpito da un sortilegio, e ora Mario dormiva sul divano per non vedere più quel volto che aveva tanto desiderato: c'era forse sventura più grande? *Abbiamo sbagliato tutto!*, gridava, attirando gli sguardi della gente: e più Colnaghi cercava di argomentare che un matrimonio è un legame di fronte a Dio, e le loro risorse erano più grandi di quanto pensassero, più lui sentiva salire lo sconforto e la rabbia. Fino a prendere l'amico per un braccio e dirgli: *Ma tu, tu cosa ne sai? Cosa ne sai tu dell'amore? Cosa ne sai tu della disperazione?* E Colnaghi faceva l'unica cosa che un amico poteva fare: rimaneva zitto, restava fino in fondo con lui nella disgrazia).

Spinto dallo smarrimento che seguì, e rimasto improvvisamente senza agganci in politica, Mario era scappato in Germania dal fratello di sua madre. Negli anni Cinquanta lo zio aveva messo su famiglia a Monaco, e ora gestiva un grosso negozio di alimentari d'importazione. Mario conobbe qualche mese di malinconico esilio, al mattino come tutto fare nel retrobottega fra casse di pomodori e cipolle e barattoli di conserva – e al pomeriggio gironzolando sotto la pioggia fredda della Baviera, ripensando a sua moglie e a quanto aveva perso, infilandosi nelle birrerie senza poter parlare con nessuno.

Infine era tornato, aveva accettato un grosso prestito dai genitori e aveva aperto una libreria in via San Giuseppe, a due passi dal cinema Saronnese. In cambio vestiva i panni del figliol prodigo nella vecchia casa di famiglia, vicino alla stazione: e con il tempo era diventato un quarantenne imbruttito, che d'inverno andava a sciare sul Mottarone e portava la mamma a fare le cure per il diabete. Nessun nuovo amore. Ogni tanto qualche prostituta, un vizio che si era preso in Germania e che aveva confessato solo a un Colnaghi inorridito.

Aveva ritentato anche la strada della politica, e i vecchi amici sembravano averlo perdonato (un gesto di grazia che doveva averli fatti sentire straordinari): ma era lui, adesso, ad avere perso ogni desiderio. L'unica presenza della sua vita erano i pochi clienti della libreria e il cane, un bastardo di mezza taglia con una macchia sull'occhio destro. E Colnaghi, naturalmente.

La locandina del cinema annunciava *Il marito in va-*

canza. Un disegno di Lilli Carati seminuda e circondata da uomini in affanno. Mario gli diede un'occhiata scuotendo la testa; al civico successivo aprì la porta ed entrando diede un calcio a una scatola vuota che aveva lasciato nel corridoio.

«Va' che macello», brontolò.

«Dovresti prenderti un commesso».

«Sì, e come lo pago?».

«Come al solito: coi soldi di tuo padre».

«Ma vedi di andare a cagare, Giacomo».

Colnaghi rise e pescò un libro dalla pila più vicina: in copertina una donna reggeva una giara sul fianco.

«*L'isola appassionata*», lesse. «Nuovo?».

«Tecchi? No, è di quasi dieci anni fa». Glielo tolse di mano, ne fece cantare le pagine affondandoci il naso. «Come cavolo sarà finito qui...».

«Me lo consigli?».

«Non è male, ma ho ben altro da consigliarti. Ti sei letto il Bernanos che ti ho regalato? Anzi no, guarda, non dirmelo nemmeno. Lo capisco dalla faccia».

«Mi manca il tempo, Mariètt. Non ho più tempo nemmeno per la famiglia, figurati un romanzo». Prese altri due libri dalla pila, senza nemmeno guardarli: anche solo toccarli era bello: se avesse avuto i soldi, da ragazzo ne avrebbe comprati una muraglia intera con il solo scopo di passarci sopra le mani valutandone le asperità, le differenze, come uno scalatore davanti a una parete conosciuta ma che gli rivelava, ogni giorno, una via diversa – una nuova fessura dove fare leva. «Mi manca il tempo», ripeté.

«Ma se stai sempre a Milano nella tua tana», disse Mario. «Bello comodo, come un pascià».

«Lavoro anche la sera: oppure crollo a letto stanco morto. È dura». Sospirò, tenendo due libri su entrambi i palmi, come a pesarne le differenze. «Forse avrei dovuto continuare a fare il bancario. Ora sarei un vicedirettore malvagio, lavorerei pochissimo e vedrei Mirella e i bambini tutti i giorni».

«Scelte».

«Già». Alzò le spalle. «Scelte».

La città era ancora intontita dal sonno del primo pomeriggio. Mario non aveva voglia di mettere a posto, e Colnaghi non aveva voglia di tornare a casa. Cominciarono a scavare tra i libri: ogni tanto emergevano vecchie cose che si erano passati una quindicina d'anni prima, come la *Lettera a una professoressa* che aveva fatto capire a Mario di non essere tagliato per fare l'insegnante. Un libro scalzava l'altro, una frase citata l'altra, e Colnaghi pensava che l'amico aveva forse trovato la propria vocazione: era un libraio eccezionale, e avrebbe dovuto essere più grato di quella scoperta, invece di considerarlo un triste ripiego.

«Guarda qua», disse Mario spiando la pila di libri che Colnaghi aveva messo da parte. «Che porcata ti sei preso? La storia dei Tupamaros?».

«Non è colpa mia se tu la ordini».

«Non è nemmeno colpa mia se i giovani di 'sto paese la chiedono. Perché la vuoi?».

«Mi serve per lavoro. Per capire», precisò.

Mario scosse la testa: «Ti serve un po' di poesia, invece. Sto aspettando una bella raccolta completa di Eliot, quando si degnano di mandarmela».

«Non mi piace granché la poesia».

«E figurarsi».

Entrò una signora con una camicia giallo limone. Rimase un attimo sulla soglia, confusa di fronte alla scena: Mario si riscosse, le andò incontro per dirle che era chiuso, e Colnaghi ne approfittò per salutare. Prese i libri e lasciò i soldi sotto il registratore di cassa. Mentre usciva gli capitò sott'occhio un manuale per la cura dei cani, con un pastore belga in copertina. «A proposito», chiese, «come sta Scodinzolone?».

Mario e la signora lo guardarono.

«Si chiama Lampo. La pianti di chiamarlo così?».

«Scodinzola come nessun cane al mondo».

«Comunque sta bene».

«Salutamelo, mi raccomando».

«Non mancherò».

Colnaghi camminò verso est e attraversò il resto del paese fino al cimitero, nel sole di metà pomeriggio: sapeva che nessuno sarebbe stato lì in quel momento, era troppo caldo: le vedove e le vecchie avrebbero aspettato l'aria del tramonto. Lungo il viale di cipressi c'era una carriola stesa in un piccolo spiazzo d'erba. Fra le crepe del marciapiede spuntavano qui e là dei minuscoli fiori azzurri.

La casupola del guardiano era aperta. Una canna dell'acqua srotolata, due secchi, un rastrello. Nella prima area c'era della terra smossa di fresco; Colnaghi proseguì. Era sorpreso dalla quantità di nuove tombe che sembravano aggiungersi ogni volta.

Come aveva previsto il cimitero era deserto. Si fermò di fronte a una tomba senza angeli o Cristi piegati sotto il peso della croce: solo un rettangolo di pietra chiara e la fiammella che bruciava con una luce quasi invisibile. Colnaghi raddrizzò il pugno di fiori un po' appassiti sopra il marmo e annotò mentalmente di comprarne di nuovi: poi aggiustò i piedi nella ghiaia. Non ci furono preghiere, non ce n'era bisogno: non con lui. Sotto la fotografia – un ragazzo dal mento stretto e gli occhi azzurri, che guardava sorridendo di lato – era scritto solo *Ernesto Colnaghi. 1921-1944*. Passò un filo di brezza a ricamare un odore acido, quasi ostile.

Colnaghi estrasse un biglietto dal portafoglio, l'unico che portava sempre con sé, accanto alla tessera d'identificazione da magistrato. Era un frammento di carta giallognola, consunta, l'inchiostro ormai indebolito dal tempo, il bordo inferiore strappato e il segno della piega di tanti anni a renderlo ancora più fragile. Eppure, resisteva. Colnaghi lo rilesse: era solo una frase, sempre la stessa, ma valeva tutte le parole del mondo.

«Allora, vecchio», disse poi. «Come va, oggi?».

Il 25 luglio fu esautorato Mussolini, e l'Egidio Roveda si recò a Milano per una riunione con il suo gruppo: di ritorno passò per la Stazione Centrale e si unì ad alcune persone armate di scalpello che demolivano i simboli fascisti sui muri. Per tutto agosto non smise di raccontare quel giorno.

Ma un miracolo ancora più grande sembrò l'8 settembre, con l'annuncio dell'armistizio. In paese, il Roveda informò tutti che il giorno seguente ci sarebbe stato uno sciopero generale: l'Ernesto fece girare i volantini, aderirono in molti, e la sera lui tornò in cascina come al solito. Un ragazzo tirò fuori due bottiglie di rosso, e il Pagani – un tipo strano, quello con l'aria più pericolosa – le stappò con un coltello: sembrava quasi una magia: infilava la punta nel sughero e tirava con il vetro stretto fra le gambe. Ernesto Colnaghi guardava perplesso, finché l'Egidio non lo tirò su dal cantuccio dove si era messo, fra le assi marce: «Stasera non si discute, compagno. Stasera si festeggia».

Tornò a casa un po' brillo ed eccitato: svegliò la Lucia tirandola per una spalla, e le disse che era finita. Fecero l'amore rumorosamente, tanto che la mattina dopo il suocero gli diede un calcio nel culo in corte, limitandosi a portare l'indice alla bocca: ci siamo capiti? L'Ernesto filò in fabbrica ridendo.

Ma non era finito niente. Anzi.

Nel giro di poche settimane erano tornati i fascisti, e peggio di tutto erano arrivati i tedeschi: presero il comando militare della città, e li vedevi girare armati fino ai denti, con i cani al seguito. Alcuni parlavano un buon italiano, altri erano persino cortesi – in particolare con gli anziani e le signore. Stivali che battevano sui tacchi, saluti militari e sorrisi.

Cominciava l'autunno, un autunno feroce, e tra compagni ci si trovava a parlare in fondo al sentiero che portava al casolare, per non farsi sentire dall'Egidio: erano proprio convinti? Certo che era dura, ostia. E se ci fosse stato bisogno di sparare? Va bene i volantini, va bene gli scioperi, va anche bene farsi picchiare: ma i füsìl, fioeu, l'era un'altra storia...

L'inquietudine di quei giorni sembrò diffondersi come un morbo. Entrava nelle case, inaspriva i litigi: le famiglie cominciavano a spezzarsi. Il padre del Pizzi, uno dei loro compagni, aveva un altro figlio che invece era finito repubblichino, caporale a Salò: a fine novembre bussò a casa loro per salutarli, ma il vecchio Pizzi – un socialista, uno cui avevano cavato un occhio durante uno sciopero nel '21 – si rifiutò anche solo di farlo entrare.

«Dammi almeno un fazzoletto pulito!», gridò lui contro la porta chiusa. «Anche noi non abbiamo niente!».

La moglie guardava il vecchio con le lacrime agli occhi. Il Pizzi le sibilò: «Ca sa sufi el nas ne la camisa nera, quella bestia».

61

Pochi giorni dopo il ragazzo venne ammazzato in val d'Ossola: fu uno dei primi interventi partigiani della zona, e lui uno dei primi fascisti a morire. Suo fratello andò al funerale, e quando tornò in cascina disse a tutti che suo padre non era venuto. Lo disse senza rammarico e senza odio, come se fosse un fatto naturale: quasi fosse lui a doversi scusare.

L'Ernesto era confuso, come tutti. Qualcuno gli diceva sottovoce che era il momento di prendere e scappare in Svizzera: ma se l'Egidio sentiva anche solo quella parola, Svizzera, faceva volare ceffoni. E qualcuno si decise davvero: una domenica il vecchio Nava attraversò il sagrato fermando chiunque con la faccia stravolta, più incredula che furiosa o addolorata: suo figlio, diceva, aveva fatto una borsa nella notte ed era fuggito oltre confine. Si era anche portato via dei soldi che tenevano dietro la credenza.

«Uno così sono solo contento di averlo perso», commentò l'Egidio. Ma Ernesto Colnaghi sentiva lo stomaco stretto: che tempi stavano arrivando? Tempi in cui i padri e i figli si mettevano in guerra. Tempi brutti, si disse. Tempi orrendi.

L'inverno fu punteggiato da scioperi sempre più frequenti. La Cemsa, dove le donne avevano bloccato la produzione a inizio anno, cominciò a essere usata dai tedeschi per produrre armi: una pugnalata nel cuore della lotta. Le forze si stavano organizzando e contrapponendo: non c'era più spazio per parlare, era chiaro a tutti.

Fu una di quelle sere che l'Ernesto domandò all'Egidio cosa fosse di preciso il comunismo: una parola che a lui sembrava giusta, sicuro, ma che a dirla tutta non aveva mica capito fino in fondo. La sua formazione era avvenuta in fretta e oralmente, ascoltando prima i colleghi che mugugnavano contro i turni massacranti imposti dal Benelli – un padrone in linea coi fasci da sempre – e poi seduto a terra di fronte all'Egidio, che però amava più che altro i dettagli dell'azione, la distribuzione dei compiti: ciclostilare, fermarsi, bloccare, inceppare, essere sabbia negli ingranaggi del sistema. Quindi, in due parole e per il povero Ernesto Colnaghi che non aveva studiato: cos'era il comunismo?

L'Egidio sospirò. Era seduto sui calcagni, le braccia appoggiate alle ginocchia, lievemente sporto in avanti. «Fioeu», disse, «ti dirò la verità, ma che resti fra noi: non è chiaro manco ai russi. Mi sa che non è chiaro a nessuno».

Questa franchezza confuse ulteriormente l'Ernesto: «Ho capito», disse, «ma in generale...».

«In generale, in generale. Dunque». Si passò una mano sul volto. «Il comunista vuole che non ci sia più padrone e non ci sia più schiavo. Vuole che siano tutti liberi e tutti felici, e che quello che ognuno produce vada nelle mani del popolo intero, e distribuito a seconda dei bisogni. In fondo è molto semplice. A te sembra giusto che uno si arricchisca sfruttandoti, mentre tu fai fatica a mettere insieme il pranzo con la cena?».

«No, certo che no», disse l'Ernesto.

«Ti sembra giusto che il podestà mangi la fesa di vitello, e tu debba fare la coda per il latte di tua figlia?».

«No».

«Il comunista combatte contro tutto questo. Per fartela breve: noi crediamo nella gente, non nel potere. Crediamo che si possa fare qualcosa di bello tutti insieme: niente re, niente guerra, niente proprietà. Una congiura della brava gente. Hai capito?».

L'Ernesto annuì, e credette di trovare la sua personale spiegazione nell'orgoglio che provava ogni volta: qualcosa dentro di lui stava passando dall'eccitazione alla consapevolezza.

Uscì dalla baracca per ultimo. Il bosco era sepolto nella nebbia: un freddo. Si fece strada lentamente, la bici in mano, fra le robinie e i gelsi morti e i fossi delle groane, e senza avere le parole per dirlo rivide come una verginità nella natura, le poche cose silenziose che il mondo dell'uomo non aveva ancora toccato. Lui era un meccanico, sapeva smontare e montare: ma la natura restava un mistero. Forse era quello il comunismo? Lasciare che le cose tornassero al loro stato naturale? Non ne era sicuro: ma mentre scompariva nella notte per tornare a casa, sfidando come ogni volta il coprifuoco, calcolando mentalmente le strade più sicure da percorrere, sentiva che ogni sua azione apparteneva al regno dei giusti. Che non era lì per caso, non era lì per un grillo: era lì perché anche lui, il giovane Ernesto Colnaghi, credeva nella gente.

6

Si alzò in via Casoretto nuotando in una luce meravigliosa. Aveva fatto un lungo sogno di cui non ricordava che alcuni dettagli – parenti sconosciuti di ritorno da qualche viaggio, lui che scriveva con la stilografica all'ombra di un abete. Sognava molto, da un anno a quella parte. Sogni strani e confusi. Una stanza colma di oggetti familiari – chiavi, scatole, libri, pettini, forchette, – ma di cui non ricordava o comprendeva l'uso. Viaggi in volo sopra terre sconosciute. Sogni che rendevano le notti, già brevi e febbrili, un territorio ancora più misterioso e da cui fuggire in fretta.

Di nuovo lunedì: le tapparelle alzate rivelarono una strada piena di gente che andava e veniva. L'estate, invece di fiaccarlo, lo riempiva d'entusiasmo. Fece un bagno bollente nonostante il caldo: vide le mani e i piedi arrossarsi, i segni verticali comparire sui polpastrelli. Uscì dalla vasca stordito, e quasi inciampò nel vecchio mobile a specchio. Si rasò con calma scartando un nuovo sapone e impastandolo col pennello che gli aveva regalato Mario. Invece della bicicletta scelse il tram: non aveva voglia di pedalare e preferiva arrivare al carcere di San Vittore senza sudare troppo.

Fabiana dell'Acqua – nome di battaglia: Emilia – lo raggiunse nella sala degli interrogatori con il solito sguardo feroce, i capelli rossicci legati in una coda, occhiaie che le scavavano il viso tondo, lentigginoso.

Colnaghi odiava il carcere e odiava gli interrogatori in carcere, ma il dialogo si rivelò ancora più breve del previsto: alle sue domande la ragazza si limitò prima a tacere nervosamente, grattandosi il dorso delle mani: quindi prese a coprirlo di insulti.

«Borghese di merda! Fascista!», gridava. «Ah, ma i miei compagni verranno a prenderti!».

«Signorina», cercò di abbozzare lui.

«Ti piace, eh? Ti piace comandare e mandare i deboli in prigione, vero?».

«Signorina, per favore», tentò di nuovo, alzando la voce.

«Chi cazzo ti credi di *essere*?», gridò lei di rimando, ancora più forte. L'agente di custodia che piantonava la porta entrò e la prese per la spalla, ma lei si liberò con uno strattone. «Bastardo!».

A quel punto Colnaghi si rese conto che non parlava a vuoto: avrebbe voluto davvero distruggerlo. Odiava il suo ruolo, ma soprattutto odiava lui, Giacomo Colnaghi: perché la teneva in carcere, perché aveva un potere su di lei e lo stava esercitando, perché era una parte dello Stato che li aveva traditi e al quale avevano giurato guerra. Di fronte a quelle grida, provò una prostrazione assoluta. Non aveva altro odio da offrire in cambio, solo una tristezza che doveva sembrare patetica. «Perché dobbiamo...?», chiese, e in tutta risposta lei caricò uno sputo: ma le uscì goffo, e Colnaghi lo ricevette sul bordo della camicia. A questo punto l'agente intervenne: le mise una mano sulla bocca e con l'altra si preparò a tirarle uno schiaffo, ma il magistrato lo fermò. La ragazza fu condotta fuori dalla stanza. Sentì le ultime urla nel corridoio, erano sempre le stesse cose.

Rimasto solo, pulì lo sputo con il fazzoletto e chiuse gli occhi, tremando di rabbia. Si sentiva completamente sfinito, sopraffatto dal senso di ingiustizia (un curioso, poetico paradosso). Lui era la dimostrazione che anche in Italia ce la si poteva fare: che anche il figlio di un operaio ammazzato dai fascisti, quelli veri, poteva studiare e diventare qualcuno. Era questo che capiva delle grandi ondate di protesta, quelle masse di ragazzi tanto diversi da lui che per strada, negli ultimi quindici anni, avevano alzato pugni e cartelli per avere un mondo diverso. Ma non capiva perché molti di loro non fossero capaci di attendere, o di trasformare le cose con pazienza. Forse non ne avevano avuto le possibilità? O semplicemente non le avevano viste?

Colnaghi era cresciuto in quella casa di corte, con la sorella e la madre: la guerra aveva portato via tante cose, e la colpa era ricaduta sulla sorte di suo padre: in pubblico era considerato un eroe, ma in casa anche solo nominarlo era sufficiente per beccarsi un ceffone dal nonno. (E proprio per sua volontà la tomba dell'Ernesto non portava alcuna menzione delle imprese partigiane).

Colnaghi aveva capito in fretta che doveva fuggire da quell'incubo, cominciando subito a rigare dritto: e gli era stato facile, perché a scuola era sempre il primo della classe. Alle medie aveva cominciato a guadagnare qualche soldo da don Luciano, il parroco del quartiere: in un sottoscala della sacrestia aveva creato un laboratorio per i ragazzi, dove insegnava loro a lavorare il legno e il ferro. La domenica li portava in giro col trattore a consegnare i pezzi ai vari committenti.

Poi si era iscritto, contro il parere del nonno che voleva mandarlo a lavorare subito, al liceo Crespi di Busto Arsizio. Si ammazzava sui libri il pomeriggio e la sera andava ancora da don Luciano a segare le assi: alla fine del ginnasio regalò alla famiglia un bellissimo armadio, nella speranza che potesse placare le liti attorno al suo futuro. (Sua sorella l'avrebbe poi rovinato giocando con il cane). Alla fine del liceo, visti i meriti, il parroco strappò una raccomandazione da un notabile della Dc, e venne assunto alla Cariplo del paese.

Nei suoi ricordi, solo allora qualcosa si svegliò completamente dentro di lui: si iscrisse a Giurisprudenza e cominciò a prendere qualche permesso per scendere a dare gli esami – e infine laurearsi. Aveva la media del 29 e la tesi gli fruttò il massimo dei voti. La madre continuava a pregarlo di restare in banca e non muoversi da lì: lo stipendio era alto, avrebbe fatto carriera – e poi su, lo dicevano tutti: il pretore l'era un mesté da terùn. Ma la strada era segnata. Nel 1970 vinse il concorso di magistratura, primo fra tutti. Al nonno disse, molto semplicemente, la verità: con quel mestiere avrebbe difeso i deboli e gli umili come loro: e nessuno sarebbe stato privo d'importanza di fronte ai suoi occhi, come Cristo aveva insegnato. Il vecchio sembrava titubante, ma gli anni e la malattia l'avevano addolcito: abbracciò il nipote con le lacrime agli occhi, e morì qualche mese dopo.

Colnaghi ripercorse ancora la sua storia per proteggersi, ma sentiva lo stomaco piegarsi, ed ebbe l'impressione che dentro di sé vivesse una città distrutta. Di colpo un altro agente lo scosse per la spalla: «Dottore», disse. «Dottore».

«Eh?», borbottò Colnaghi.

«Dottore, si sente bene?».

Si riscosse: «Sì. Sì, mi scusi, mi sono perso via per un istante».

«Lo gradisce un bicchiere d'acqua? Fa tanto caldo, magari ha avuto un calo di pressione».

«No, grazie, è tutto a posto. Vada pure».

«Comandi».

Prima di tornare al Palazzo di Giustizia si fermò in un bar e prese un caffè doppio, nella speranza che lo aiutasse. Invece peggiorò la situazione e per poco non finì a vomitare nel bagno del locale: decise di non prendere mezzi e di camminare con calma, e solo all'altezza di Palazzo Reale fu certo che la nausea era contenibile.

Quel pomeriggio lavorò a porte chiuse, non volle vedere né Micillo né la Franz: stilò una breve nota

dove confermava che la Dell'Acqua non aveva colla-
borato, e poi si concentrò su un atto d'appello cui
stava lavorando, una brutta rapina a Dergano, e una
condanna a cinque anni, a suo avviso troppo pochi.
Risolse con cura la questione, terminando l'atto con la
solita eleganza: la sua prosa, a differenza di quella di
molti colleghi, era limpida e concisa. Ma non era soddisfatto. Era solo stanco.

Uscì prima del solito, verso le otto: Milano era
coperta da un tramonto polveroso, inutilmente solenne.
Qualche nuvola si stava accumulando da est, e Colnaghi
sperò in un temporale. Il caldo era soffocante. Prese
la metropolitana in San Babila e scese a Loreto: imboccò
via Porpora invece di via Andrea Costa, e si concesse
una deviazione lungo viale Lombardia. Camminando
svelto, sotto la volta degli alberi, si rincuorò un poco.
Sentì che ormai ci stava arrivando. Anni di lavoro, ma
ci stava arrivando. Doveva tenere duro: era sempre
più vicino, e dunque, rifletté, sempre più in pericolo:
ma non solo.

Più si addentrava nella caverna che lo portava agli
autori dell'omicidio, di quello come di altri – rileggendo
carte, rivendicazioni, entrando nella testa di quei
ragazzi, ascoltandoli, figurandosi ogni spostamento –
più scendeva negli abissi e più tutto si faceva sfumato,
e benché le sue certezze fossero sempre solide come
una muraglia, su quella muraglia cominciava a crescere
l'edera del disagio: non la scalfiva, non la abbatteva:
ma la colorava diversamente. Non era cieco. Vedeva
la pressione esercitata in tanti anni dall'alto: l'ossessione

per il potere, la tentazione autoritaria dell'esercito, la retorica dell'emergenza continua, le leggi repressive... Anche per questo dall'altra parte era germinato un odio tanto grande, una violenza di reazione così feroce: e benché nulla la giustificasse, Colnaghi non poteva smettere di chiedersi: cosa avevano fatto, tutti loro, per impedirlo?

Esausto e quasi schifato, entrò nella pizzeria del pugliese e chiese un trancio di margherita.

«Dottore, che bello rivederla!», gridò il vecchio. «Allora, cosa combina la sua Inter l'anno prossimo?».

E il giorno finì.

7

Il procuratore capo era in vena di discorsi e racco-
mandazioni velate di rimproveri: non apprezzava Colnaghi perché era un cattolico devoto, e perché troppo
ironico per i suoi gusti; la sua indipendenza era mal
vista, in un momento dove tutti erano occupati a de-
finire meglio le proprie simpatie; e soprattutto, non
amava il gruppo che aveva creato con la Franz e Micillo
(che pure appoggiava per motivi diversi). Con il tempo,
Colnaghi aveva imparato a ignorarlo.

A causa di una predica simile, dunque, il martedì
successivo Colnaghi tardò di venti minuti all'appuntamento con la moglie scesa a Milano per l'occasione: lei
lo aspettava all'angolo fra viale Majno e via Cappuccini,
con le braccia conserte. Quando lo vide arrivare gli
diede un bacio sulla guancia e fece finta di nulla, ma
era arrabbiata.

Colnaghi aveva scelto un ristorante siciliano, su consiglio di Micillo. L'oste – un tizio basso dall'aria un
po' arcigna – precisò con orgoglio che il pescato era
freschissimo: ordinarono due pastasciutte con pesce
spada e pomodoro e una bottiglia di vino bianco.

«Ed eccoci qua», disse Colnaghi. «Finalmente».

Mirella sorrise.

«Hai fatto fatica a trovare il posto?».

«Ma no, sono scesa a Palestro come mi hai detto e poi era subito qui».

«Bene».

«Ah, è passata tua sorella, oggi».

«Sì? Come sta?».

«Come sempre. Si è fermata a pranzo e tua mamma ha litigato con lei perché non le andava bene come lavava i piatti. In compenso suo marito ha avuto un aumento».

«Questa cosa dei piatti è un classico. Anche da ragazzi era sempre la stessa storia».

«Dice che non la chiami mai, fra l'altro».

«Nemmeno lei mi chiama mai».

Mirella si strinse nelle spalle e prese un altro sorso di vino. Colnaghi si accorse che faceva rumore bevendo dal bicchiere: l'aveva sempre fatto? Di colpo se ne rese conto: non facevano l'amore da più di sette mesi. Da un lato Colnaghi aveva un po' paura che lei rimanesse incinta un'altra volta (non avrebbero potuto permettersi un terzo figlio): dall'altro, semplicemente aveva perso ogni desiderio. Si aggiustò gli occhiali con uno scatto di naso e orecchie.

«Daniele sta meglio?», chiese.

«Sì, si è ripreso del tutto».

«Ha avuto ancora problemi con quelli all'oratorio?».

Ai primi di giugno, dopo averlo picchiato e lasciato a terra sanguinante, gli avevano rubato la bicicletta. Bambini della sua età. Colnaghi aveva passato una notte inferocito e tormentato dalla rabbia, domandandosi cosa avrebbe potuto fare per aiutarlo, per impedire che accadesse ancora. (Ma in fondo aveva anche provato un sottile disagio per quel ragazzino incapace di cavarsela, sempre silenzioso e remissivo – e di ciò si era vergognato terribilmente).

«Tutto a posto», disse Mirella. «Ho anche parlato con il parroco e don Giuseppe. Lo terranno d'occhio».

«Speriamo».

«È un bambino troppo sensibile. Ti ricordi di quando ha avuto il primo attacco d'asma ed è stato male tutta notte, e non ha osato svegliarci perché aveva paura di *disturbare*?».

«Già. Povero».

«Deve irrobustirsi. A settembre, prima della scuola, gli faccio prescrivere una bella cura ricostituente. Vitamine. Ecco di cosa ha bisogno».

«E Giovanni?».

«Oh, lui è a posto. Dorme un sacco». Un gran sorriso. «Soltanto, ha cominciato a guardare le cose piegando un po' la testa a sinistra. Non so se ci hai fatto caso».

«E allora?».

«Non so, ho letto da qualche parte che è segno di miopia».

«Ma si può già valutare la miopia a quell'età?».

«Credo di sì. Comunque a settembre porto anche lui dal Borroni».

«Il Borroni come dottore non vale niente. Chiedo il nome di qualche oculista bravo a un collega».

Arrivò la pasta. Era lievemente scotta. Mirella si lamentò a bassa voce e riempì di nuovo i bicchieri, bevve il suo d'un sorso, poi lo riempì ancora.

«Ehi», disse Colnaghi. «Vacci piano».

«È buono, questo bianco. Fresco».

«Sì, ma vacci piano».

«Non devo mica guidare».

Colnaghi cercò di sorridere: «Come va con le ripetizioni?», domandò.

«Nulla di nulla. È estate, chi vuoi che abbia bisogno di lezioni?».

«Be', non so. Chi ha un esame a settembre, ad esempio».

«Figurati. Meglio così, i ragazzi oggi sono uno peggio dell'altro. L'idea di tornare in classe mi mette un po' d'ansia, se devo essere sincera». Si tormentava il lobo destro con la mano sinistra, e con l'altra arrotolava gli spaghetti.

«Perché ti tocchi l'orecchino?», disse Colnaghi.

Lei ritirò la mano: «Mi dà fastidio».

«Perché non te lo togli?».

«No, no, va bene così».

Mirella insegnava inglese alle scuole medie del quartiere. Quando era nato Daniele aveva pensato di smettere e restare a casa: ma i soldi erano pochi, il mutuo appena acceso, e così aveva ricominciato. Non amava insegnare, ma aveva una genuina passione per l'Inghilterra, o almeno per l'Inghilterra come l'immaginava lei. Aveva riempito la casa di immagini dei Beatles e foto di Buckingham Palace, e in camera da letto aveva appeso una caricatura di tre ragazzi in stile beat – scarponi, giacche colorate, capelli lunghi. Sognava di tornare a Londra almeno un'altra volta (c'era stata solo durante l'università, due mesi di vacanza studio, *uno dei momenti più belli della sua vita*): Colnaghi gliel'aveva promesso da tempo, e nei suoi piani avrebbe comprato il biglietto aereo per il dicembre a venire.

Il cameriere portò via i piatti e dopo un minuto il proprietario domandò loro se gradissero un secondo – aveva una ricciola freschissima, poteva farla in padella con olio e limone, o grigliata, o secondo i gusti dei signori. Colnaghi era sazio. Mirella chiese un cannolo, che non finì.

Di fronte al caffè si accorsero di avere terminato i pochi argomenti in comune, ma questo non era mai stato un problema: il loro matrimonio ruotava attorno a un nucleo di silenzio cristallino e rispettoso, che per Colnaghi era lo specchio di ciò che doveva essere un legame. Stavolta però, mescolando lo zucchero nella tazza, Mirella disse qualcosa in più del solito.

«È che un po' sei cambiato», mormorò.

«Io?».

«Sì. Negli ultimi mesi, soprattutto».

«Ma va'».

«Non so bene come spiegarlo».

Colnaghi prese un sorso di caffè: «Be', provaci».

«Mettiamola in questo modo. Non capisco come fai a essere così contento».

«In che senso?».

«Nel senso che... Mi rendo conto di toccare un argomento delicato, ma fai una vita che non va bene».

«Mirella, dai. Ne abbiamo già parlato».

«Il fatto è che a te *piace*, Giacomo. A te piace questo lavoro, piace essere in pericolo e stare da solo. Ti piace tutto».

«O Signur», sbottò Colnaghi ridendo. «Non capisco. Adesso sembra che sia uno scandalo essere contenti!».

«Non è uno scandalo essere contenti. Ma è... Non so. È strano, ecco».

«Strano? Strano cosa?».

«Il fatto che torni a casa meno del solito. Ad esempio».

«Sono tornato sabato scorso».

«Sì, va be'!».

«Mirella, devo lavorare. Non è colpa mia. Ho dei colleghi che hanno lasciato le loro famiglie per venire in questa città del cavolo, e vedono la moglie e i figli una volta ogni tre o quattro mesi. Ho dei colleghi che...».

«D'accordo».

«Quello che voglio dire è che è *davvero* complicato, e ho *davvero* un sacco di cose da fare, sempre. E pensieri in testa. E problemi da risolvere. Credi che non mi manchiate, tutti? Credi che sia così felice di starmene sempre in mezzo alle carte e con la paura che succeda qualcosa?». Qui Mirella fece una brutta smorfia; lui proseguì: «No, non è così. Certo, a volte mi lascio prendere troppo dal lavoro – lo ammetto. Ma che devo fare?».

«Va bene, va bene. Parliamo d'altro, ti va?».

Sospirarono entrambi. Ora però non c'era davvero più niente di cui parlare. Anzi, Colnaghi sapeva che tutto si fondava su un enorme non detto: Mirella aveva paura di finire come la suocera – che tra l'altro detestava, e con cui era costretta a vivere fianco a fianco, mascherando il disprezzo in lunghe partite a carte e piccole, nervose gentilezze reciproche: ne detestava l'acume, ne invidiava la bellezza e il contegno. Per questo era tanto più inquietante, per lei, il pensiero di finire come quella donna: con un marito morto, due figli da crescere, e nessuna delle sue qualità. Di fronte a questo pensiero, Colnaghi provava un certo sconforto: si sentiva in colpa per la sua storia personale, per avere avuto un padre partigiano, per essere un magistrato: si sentiva incolpato per azioni giuste e atti d'eroismo, e questo era terribile.

Il cameriere chiese se la cena era stata di loro gradimento, e Colnaghi annuì con un sorriso. Al momento del conto ebbe il solito riflesso di disagio, quando doveva pagare una cifra più alta dello stretto necessario: non era molto, ma era comunque uno sfizio, e ancora non si era abituato all'idea di potere spendere. E poi c'era l'affitto del bilocale: e la signora delle pulizie: e l'anno successivo Giovanni avrebbe cominciato l'asilo... Scosse la testa e per troncare i pensieri lasciò persino una piccola mancia.

Fuori Mirella sembrò rinfrancarsi e lo prese sottobraccio. Colnaghi le propose una camminata nei dintorni di Porta Venezia: la luce del crepuscolo era tenue, uniforme: il caldo della giornata si andava disperdendo e con i primi lampioni accesi l'aria era quasi profumata. Scesero giù per la via, in silenzio, sotto i platani. Colnaghi ricordò quello che ogni tanto gli diceva Mario: che non era per niente bravo con le cose dell'amore.

Si pentì di non essere venuto in bicicletta. Avrebbe voluto portare Mirella sulla canna, come aveva visto in qualche film.

«Vuoi rimanere qui?», chiese all'improvviso, ma senza troppa convinzione.

Lei rise: «Ma sei matto?».

«Dai, Mirella. Una telefonata a casa, ci pensa mia mamma. Torni domattina».

«Ma non posso!».

«E che ci importa? Facciamo i giovani».

Lei valutò la cosa per un istante, e il volto le sbocciò all'improvviso: le labbra appena schiuse, lo sguardo perso in diagonale. Poi fece un respiro e scosse la testa; ma il sorriso era rimasto: «No, davvero, non è il caso. Piuttosto, un giorno in settimana passo a darti una pulita. Chissà come sarà conciata».

«Viene già una signora, lo sai».

«Sì, ma non mi fido».

Colnaghi si sentì più triste di quanto avesse pensato.

«Davvero non ti va?».

«Dico solo che non è il caso». Gli carezzò una guancia. «Senti, scusa per quello che ti ho detto prima».

«E cosa mi hai detto?».

«Che fai una vita sbagliata. Che devi stare più con noi». Strinse le labbra. «Lo sai che non lo penso davvero. Lo sai che sono fiera di te».

Lui la abbracciò e la baciò.

«Grazie», disse.

«Non devi ringraziarmi».

«Grazie comunque. Lo so che non è facile».

Lei alzò le spalle e lo strinse più forte ancora. Colnaghi la accompagnò con la metropolitana fino alla fermata di Cadorna e poi in stazione. Le prese il biglietto, visto che non l'aveva ancora fatto, e le diede la mano per salire sul treno, con un eccesso di galanteria. Lei rise e scosse la testa; quando si sedette alzò appena il mento attraverso il finestrino e gli mostrò la lingua come una ragazzina: lui sorrise e la guardò partire.

Poi uscì dalla stazione e camminò verso Cairoli, e da lì fino a piazza dei Mercanti. Sui gradini un tizio suonava uno xilofono. Sedette per qualche istante ad ascoltarlo, quindi si mise di fronte al Duomo e ammirò con soddisfazione la Madonnina, lassù, protetta dalle guglie, luminosa nonostante il buio. Gli tornò la voglia di salire in cima alla cattedrale: l'ultima volta c'era stato un paio d'anni prima, con un suo ex compagno d'università, un vecchio amico ora pretore ad Ancona – Roberto Doni. Ricordò vagamente che presto l'avrebbero trasferito in Lombardia, e si disse che avrebbe dovuto chiamarlo. Un barbone interruppe i suoi pensieri per chiedere una moneta: Colnaghi frugò nella tasca e gli diede trecento lire. L'uomo strinse i soldi al petto e fece un piccolo inchino, senza dire nulla.

Colnaghi estrasse il biglietto dal portafoglio, lo rilesse, lo passò con cautela sul viso e sulle labbra. Non importava nient'altro: bastavano quelle parole a confermargli, ogni volta, che era stato un genitore e un marito migliore di lui.

Restò ancora qualche istante così, poi comprese di non avere alcuna voglia di tornare a casa. Attraversò la piazza e fece rotta verso il Palazzo di Giustizia.

8

Due ore dopo guardava dalla finestra la massa della notte estiva, le pulsazioni deboli di Milano. Quell'afa. Il palazzo di fronte era illuminato a tratti, e dietro una finestra poteva vedere con chiarezza una figura andare e venire, un po' gobba, forse un pensionato. Poi si voltò di nuovo e sorrise alla scrivania sommersa dai faldoni. *Le notti di Colnaghi*: un buon titolo per un film al Saronnese.

Nell'ultimo anno aveva prodotto una cartografia delle Br e di Prima linea e di tutte le altre organizzazioni che con il tempo si erano sovrapposte. Lotta armata per il comunismo. Brigate comuniste combattenti. Squadre operaie combattenti. Comitati comunisti combattenti. Reparti proletari per l'esercito di liberazione comunista. E infine il gruppo che aveva ucciso Vissani: Formazione proletaria combattente. Infinite variazioni sul tema, infinite bande che cercavano di imporre la propria linea, che ognuna considerava la sola e sacrosanta.

Colnaghi aveva registrato ogni cosa in una sorta di grande mappa che teneva attaccata al muro: passò sopra un dito per verificare le ultime connessioni: date, luoghi, nomi, tutto si intrecciava in un labirinto di indicazioni da decifrare con cautela e pazienza. Si allontanò di un passo. Più che un magistrato, in quei momenti, si sentiva un pittore: stava affrescando una parete con una scena di guerra i cui dettagli ancora erano incerti, ma che presto avrebbero rivelato tutto il loro senso.

Uscì dall'ufficio e chiuse la porta a chiave, poi attraversò il Palazzo deserto. Non c'era nessuno. Sorveglianza al minimo.

Colnaghi guardò le lancette dell'orologio avvicinarsi alla mezzanotte e si sedette a gambe incrociate nell'atrio fra via Manara e il carraio di via Freguglia. Che anno assurdo, pensò. A febbraio i fascisti dei NAR avevano ucciso un brigadiere e un carabiniere; e dall'altra parte, le Br avevano ammazzato il direttore del Policlinico. A marzo erano stati assolti tutti gli imputati per la strage di Piazza Fontana – una sentenza davanti alla quale avrebbe voluto urlare. Poi le cose sembravano essersi calmate all'improvviso, e alcuni dei suoi colleghi dicevano che era quasi finita: a colpire duramente le Brigate rosse c'era stato l'arresto di Mario Moretti, e nel mese di maggio non era morto nessuno, né per mano dei neri né per mano dei rossi: ma lui non ci credeva. Anzi. Troppo sangue era stato versato.

Oh, certo, crepitava anche una nuova speranza nell'aria: qualcosa stava germinando, un decennio si era chiuso e un altro cominciava: ma Colnaghi vedeva solo la scrivania ancora piena di omicidi irrisolti, truffe e sfruttamenti, rapine a mano armata, l'enorme groviglio di fatti e morti e innocenti che bussavano alla porta per trovare un nome, una condanna, un risarcimento, l'espressione di una giustizia umana e dunque sempre insufficiente, incapace di cancellare il torto, arrancante sotto l'onda del male: e allora ripensò alla fatica del Cristo guaritore quando domanda a Dio nuovi operai per la messe, perché le folle erano stanche e sfinite – e così loro. Ma nessuno giungeva nemmeno nei Vangeli: e il povero Cristo restava solo col suo fardello.

Si pulì gli occhiali con la cravatta e tossì al solo scopo di sentire il suono rimbombare per l'intero Palazzo. Dal fondo del corridoio apparve un carabiniere, la torcia puntata verso di lui: Colnaghi si alzò goffamente, quello lo riconobbe (chi altri poteva sedersi in mezzo all'atrio a quell'ora?) e imitò il saluto: si sorrisero senza dire una parola. Colnaghi si incamminò verso l'uscita.

Che anno assurdo. E l'anno prima? Ancora peggio. Gli ottantacinque morti della strage della stazione di Bologna, che gli avevano ricordato a quale livello di atrocità potessero giungere i terroristi neri. Mario Amato, il giudice di Roma che indagava sui NAR e da loro ammazzato con un colpo alla nuca: la Procura l'aveva lasciato del tutto solo, a quanto pareva: lui una scorta l'aveva pure chiesta, ma non l'aveva ottenuta…

E poi le vittime dei rossi: Vittorio Bachelet, Girolamo Minervini, Nicola Giacumbi (ammazzato di fronte alla moglie, rimasta illesa per miracolo), e tanti altri. Ma fra tutti emergeva come uno scoglio, per lui, il giorno dell'omicidio di Guido Galli.

19 marzo 1980. Colnaghi era d'udienza e aveva appena finito una requisitoria. Era stato Micillo a venirgli incontro, mentre la notizia si propagava come una fiamma per l'atrio: prima ancora di saperlo Colnaghi lo aveva percepito a livello del corpo: i lineamenti spezzati, la gente fermata di colpo, le mani sul viso. Micillo gli aveva appoggiato una mano sul braccio: «Hanno ammazzato Galli», aveva detto.

«Cosa?», aveva gridato Colnaghi.

«Galli. Guido Galli. Alla Statale».

Insieme erano usciti di corsa da via Freguglia, attraversato via Larga, ed erano arrivati in via Festa del Perdono. Davanti all'Università c'era una gran folla – la replica delle solite immagini cui erano abituati da troppo tempo: polizia, blocchi, sguardi pietrificati, e il centro di una città dell'Occidente reso all'improvviso uno spazio di guerra.

Galli aveva quarantasette anni e insegnava Criminologia alla Statale. Colnaghi lo conosceva solo superficialmente, anche se avevano lavorato insieme per un breve periodo: nutriva per lui rispetto assoluto, e una grande ammirazione. In piedi, immobile, ogni tanto scosso da qualche grido o qualche persona che correva separandosi dalla folla, non riusciva a credere che fosse morto anche lui.

Micillo lo aveva guidato in un bar di via Laghetto, a mandare giù un caffè in silenzio, i volti terrei, ognuno solo coi propri pensieri. Solo dopo un'ora si erano recati all'obitorio. Ormai cominciava a fare scuro. Lungo la strada Micillo non la finiva più di scuotere la testa: *O Madonna*, diceva. *Questa è brutta, questa è brutta davvero*. Nella stanza fredda, Colnaghi si era avvicinato lentamente al cadavere. Ecco un uomo buono, si era detto. Ecco un uomo buono e innocente ucciso, si era ripetuto. Quanti ne avrebbe visti ancora? Si era fatto il segno della croce, aveva pregato con il capo chino ed era uscito senza dire altro.

All'assemblea del giorno, nell'Aula Magna del Palazzo di Giustizia, tutti urlavano. Una voce sopra l'altra in un uragano che sembrava crescere di intensità, più la riunione di un gruppo di guerrieri che di servitori della giustizia. Avevano paura. Come era stato per Emilio Alessandrini l'anno precedente, quella era la prova ineluttabile che ognuno di loro poteva diventare, o già era, un ostacolo da rimuovere. Qualcuno aveva gridato che dovevano assolutamente presentare una richiesta formale a Pertini per avere maggiori misure di sicurezza. Qualcun altro aveva rincarato la dose dicendo che erano stati abbandonati.

Colnaghi era in un angolo e cercava di non lasciarsi trasportare, ma poi un collega gli aveva passato un foglio con la rivendicazione di Prima linea, il gruppo che aveva ucciso Galli. Sembrava quasi un elogio del professore, il sunto delle sue qualità, ed era tanto più straziante perché indicava la strategia che i terroristi ormai avevano assunto: colpire i buoni, colpire i migliori – quelli che nella loro logica fornivano un alibi allo Stato:

Galli appartiene alla frazione riformista e garantista della magistratura, impegnato in prima persona nella

*battaglia per ricostruire l'ufficio istruzione di Milano
come un centro di lavoro giudiziario efficiente, adeguato
alle necessità di ristrutturazione, di nuova divisione del
lavoro dell'apparato giudiziario, alla necessità di far
fronte alle contraddizioni crescenti del lavoro dei magistrati
di fronte all'allargamento dei terreni d'intervento, di
fronte alla contemporanea crescente paralisi del lavoro
di produzione legislativa delle camere...*

Allora Colnaghi era scoppiato a piangere.

Non piangeva da quando era ragazzino, da quando
sentiva il nonno di ritorno dall'osteria, ubriaco, che
dava del pezzo di merda a suo padre morto. Non piangeva dal giorno in cui l'aveva finalmente preso da
parte, minacciandolo che se anche solo un'altra volta
avesse pronunciato il nome di Ernesto Colnaghi in
quel modo lui l'avrebbe massacrato di botte: non piangeva da quella notte, quando la madre disperata l'aveva
tenuto stretto fino all'alba nel letto insieme alla sorella,
maledicendo la sua vita, la sua stirpe, la guerra, la
morte e ogni singolo istante sulla terra.

Non aveva pianto per nessuna delle vittime che
gli era capitato di conoscere. Non aveva pianto
nemmeno per Alessandrini, con cui pure si era fermato tante volte a ridere e scherzare. Era come se
per lui il dolore fosse una faccenda troppo privata;
come se la sofferenza dovesse alimentare un incendio
interiore, divorare il paesaggio che portava dentro,
e lì soltanto spegnersi. Ma in quel momento qualcosa
si era rotto.

Mentre singhiozzava aveva provato una tale rabbia da non riuscire a contenersi: con la mano destra aperta aveva colpito il muro dietro di sé, e il dolore era infine esploso sul palmo: che li ammazzassero tutti! Che mandassero l'esercito! Nel gorgo di quegli anni finivano insieme indagati e inquirenti, accusati e accusatori: era una lotta di posizione, e lungo la trincea nessuno sembrava prevalere. Nessuno aveva una risposta alle proprie domande: morivano soltanto persone: ancora, e ancora.

Ma a quel punto erano giunte le parole di un collega, le uniche che avrebbe ricordato in seguito. La brevissima lezione che lo aveva salvato, la più difficile e importante.

Era stato Generoso Petrella a parlare. Nel mezzo di urla e lacrime, nel mezzo dei cattivi propositi – volevano vendetta, anche *loro* volevano vendetta, e sembrava così naturale pretenderla – lui aveva alzato un dito.

«Ricordate», aveva detto. «Noi non dobbiamo essere gli uomini dell'ira».

Nient'altro. La sua voce si era persa nel caos, ma qualcuno l'aveva raccolta e fatta propria: e fra questi, Colnaghi. Era un imperativo così semplice, così chiaro e difficile insieme. Aveva ripensato a se stesso da bambino, pieno di dolore nel vedere un animale ucciso a sassate, un compagno di classe picchiato senza motivo: sconvolto dal vuoto che le preghiere non colmavano, quello spazio lasciato all'arbitrio di fronte a cui nemmeno Dio, ora e lì, poteva nulla, e che andava in qualche modo redento. Ed era proprio quando tutto crollava, che non bisognava cedere all'ira.

Era un dovere terribile. Un ottimo motivo per essere vivi, si era detto Colnaghi.

Uscì da Palazzo sperando di trovare un po' di fresco, ma la città era avvolta nel nerofumo; l'odore dell'aria gli ricordò quello di una friggitoria sarda, ai tempi in cui era pretore a Cagliari: e lui così, in maniche di camicia, pareva davvero uno scapolo ancora giovane, ma dal volto un po' appassito, in cerca di un'ultima avventura.

Si spinse verso ovest: piazza San Babila, corso Vittorio Emanuele, i cinema chiusi che punteggiavano la strada: evitò il Duomo e svoltò a destra fino a sbucare dietro piazzale Cordusio. Vide una cabina telefonica all'angolo di un vicolo, e di colpo gli tornò in mente l'idea di chiamare Doni, il suo ex compagno d'università. Era stata l'unica persona con cui aveva stretto una sorta di amicizia, in quegli anni.

Si erano conosciuti all'esame di Diritto Tributario, finito molto più tardi del previsto: Colnaghi era l'ultimo a essere interrogato, e mentre rispondeva alle domande del professore si era accorto che qualcuno era rimasto ad ascoltarlo. Aveva terminato l'esame infastidito – trenta e lode – e uscendo dall'aula si era fermato un istante nel corridoio per decidere se mangiare un panino in città o tornare subito a Saronno. In quel momento un ragazzo più basso di lui, molto magro e dallo sguardo inutilmente serio, gli aveva fatto notare che il suo naso stava grondando sangue. Colnaghi aveva portato le mani al volto e le aveva ritirate con un mezzo grido.

Il ragazzo lo aveva accompagnato in bagno, gli aveva spiegato che non doveva alzare la testa verso l'alto – un errore comune – bensì abbassarla nel lavandino bagnandosi con acqua gelata, e infine gli aveva offerto un caffè in un bar di via Festa del Perdono. Colnaghi era un po' perplesso (che accidenti voleva?), ma si era lasciato aiutare.

«Soffri spesso di epistassi?», gli aveva chiesto il ragazzo.

«Di che?».

«Epistassi. Sangue dal naso».

«Non mi era mai successo».

«Be', capita. Forse è il caldo. Abbiamo aspettato tanto in una stanza quasi priva d'aria».

Erano rimasti a parlare. Il ragazzo – Roberto Doni, milanese – era lo stesso che si era fermato ad assistere al suo esame, «impressionato», spiegò, dalla sua bravura. Lui aveva preso solo ventisette; era di un anno più giovane, e sembrava quasi del tutto incapace di ironia.

Il sole era tramontato e loro avevano continuato a parlare: *come mai Giurisprudenza? E poi? Vuoi fare il concorso di magistratura? Non credo, forse l'avvocato. Ah, no, no, l'avvocato non potrei mai...* Proprio mentre si alzavano, avevano sentito un tizio al bancone lamentarsi dello sciopero delle Ferrovie Nord: nessun treno dalle 19 in avanti. Colnaghi aveva guardato l'orologio e si era battuto la mano sulla fronte.

«Ecco», aveva detto. «Me n'ero completamente dimenticato. Che pirla!».

90

Al che Doni, dopo qualche secondo di silenzio, si era offerto di ospitarlo a casa dei suoi genitori. Il giorno dopo si erano scambiati il numero di telefono per pura cortesia, e tutto era parso finire lì: non avevano molto in comune, e Colnaghi continuava a trovarlo vagamente sospetto. Invece nei mesi successivi avevano preparato insieme gli ultimi esami, erano andati alle reciproche discussioni di laurea, avevano fatto qualche gita fuori porta con le fidanzate. Una volta iniziato il percorso di magistratura il loro rapporto era diventato ancora più intenso: il loro approccio alle indagini – e in un certo senso alla vita – era completamente diverso, ma traevano conforto proprio da tale diversità. Doni non sarebbe mai stato come Mario, un amico fraterno: non avrebbero mai condiviso molto. Eppure, in qualche modo, si erano incontrati.

Colnaghi estrasse la rubrica, trovò il suo numero di telefono, cercò qualche gettone nella tasca dei pantaloni. Mentre attendeva pregò che non rispondesse sua moglie. Rispose lui – la voce era piena d'ansia.

«Pronto?».

«Roberto, ciao, sono Giacomo».

«Chi?».

«Giacomo. Colnaghi. L'attore, eh, non il magistrato omonimo. Hai presente, sì?».

Un istante di silenzio e la linea che gracchiava. Poi Doni comprese: «Ma sei impazzito a chiamare a quest'ora?».

«Ero in giro. Mi sono detto: perché non rompere le scatole a Doni?».

«Pensavo fosse la Procura».

«Non sopravvalutarti. Nelle Marche non succede mai un tubo».

Doni rise sottovoce.

«Guarda che a marzo, a Macerata, abbiamo avuto un maxiprocesso contro i brigatisti».

«Sì, e tu non ci hai messo becco».

«Vabbè, che c'entra. Come stai?».

«Tiriamo avanti».

«Mirella sta bene?».

«Tutto a posto. Claudia?».

«Benone. Il fine settimana ormai andiamo sempre al mare, sul Conero. Un posto stupendo».

«Che lusso!».

«Tu invece sei sempre inchiodato in ufficio, vero?».

«Che tu ci creda o no, ti chiamo da una cabina in Cordusio. Ho lavorato fino a poco fa».

«Davvero?».

«Eh. Qui è un casino che non hai davvero idea, Roberto».

Doni tossì piano.

«Ci sono novità sul Vissani?», chiese.

«Qualcuna. Sto cercando di mettere insieme i pezzi. Comunque siamo fiduciosi nell'efficacia del nostro operato e riteniamo che a breve il caso si chiuderà con successo», proseguì, mimando una voce istituzionale. Poi sospirò. «Invece la moglie, e il figlio... Li ho rivisti di recente. Sono distrutti».

«Lo credo».

«Stavo anche pensando di andarli a trovare».

«Ecco, questa invece non mi sembra una grande idea».

«Perché?».

«Perché sei un magistrato, non un amico di famiglia. E poi il Vissani non era mica un po' troppo di destra, per i tuoi gusti?».

«Già... Vabbè, vedrò. È dura, Roberto, ma bisogna andare avanti: eccezioni sempre, errori mai». Appoggiò un braccio all'apparecchio. «Tu, invece?».

«Poca roba. Gli ultimi giorni qui, poi ce ne andiamo in montagna: mio suocero ha una casa sulle Dolomiti, ne approfittiamo. Anche perché è il primo gesto generoso che fa da quando lo conosco. Vecchio malefico».

Colnaghi rise un po', quindi tacquero entrambi, come se la conversazione fosse già terminata. Poi riprese: «Senti», disse.

«Eh».

«Ti ricordi di quando le Br hanno rapito Sossi?».

«Ma che c'entra?».

«Ti ricordi o no?».

«Certo che mi ricordo. Aprile del '74», disse Doni.

«Ecco. Tu che hai pensato quando è successo?».

«E che dovevo pensare? Tutto il peggio possibile».

«Sì, ma Sossi? Ti piaceva?».

«Ma che domande fai... No, direi di proprio di no. Ma che c'entra?», ripeté.

«Niente, riflettevo. Qualche giorno fa ho ritrovato un ritaglio dell'interrogatorio delle Brigate rosse a Sossi, nella loro "prigione del popolo". Un termine molto interessante, fra l'altro. Comunque, era scritto –

aspetta, l'ho imparato a memoria: *Noi non diciamo che il giudice non ci deve perseguire secondo le leggi, però c'è modo e modo di applicare la legge*».

«Sì. E quindi?».

«Che ne pensi di questa frase?».

«Mi sembra un'enorme idiozia. Una delle più grandi idiozie che abbia mai sentito, e infatti solo un brigatista poteva partorirla».

Colnaghi non disse nulla. All'improvviso si accorse di non avere altro da dire al riguardo, solo pensieri confusi.

«Ma stai bene, Giacomo?», chiese Doni.

«Ma sì. Sono solo un po' stanco».

«Mi chiami di notte, fai discorsi strani...».

«Cerco solo di tenerti all'erta. Sempre all'erta, soldato Doni!».

«Sì, sì, va bene. Senti, il resto della famiglia? Tutto a posto?».

Colnaghi fece un mezzo respiro, poi sorrise nel vuoto.

«Tutto a posto. Fra qualche giorno li accompagno tutti al mare in Liguria, tranne mia mamma, almeno si svagano».

«Quanto si fermano?».

«Tre settimane. La solita pensione, ormai ci fanno un buon prezzo, e a Daniele fa molto bene. Ha un po' d'asma».

«Mirella è preoccupata?».

«Per l'asma? Ma no, non è nulla di grave».

«Per *te*, Giacomo».

«Ah. Un po'. Sai com'è».

«Hai ricevuto minacce?».

«No... Niente di concreto».

«Capisco».

Qualche altro istante di silenzio. Colnaghi sentì un brivido colpirlo alle spalle, e appoggiò la testa contro l'apparecchio telefonico.

«Senti», disse Doni. «Io faccio un salto su a fine mese, devo guardare un paio di case per il trasferimento a Gallarate».

«Giusto. Me n'ero completamente dimenticato. Quand'è che cominci?».

«Credo verso ottobre. Ti va se ceniamo insieme?».

«Come no. Fammi un colpo quando arrivi, mi raccomando».

«Perfetto».

«Ti porto in qualche bel posticino».

«Lascia perdere, ci penso io. Anche se ora stai a Milano rimani sempre un varesotto, e chissà che topaia sceglieresti».

«D'accordo», sorrise lui. «Allora ci sentiamo. E scusati con tua moglie da parte mia, se vi ho buttati giù dal letto».

«Ma piantala. Riguardati, piuttosto. Ciao».

«Ah, Roberto?».

«Sì?».

«Te l'ho già raccontata quella dei due magistrati che...?».

«Buonanotte, Giacomo».

Colnaghi rise da solo con la cornetta in mano, poi la riappese, uscì dalla cabina, accese la pipa e guardò il cielo. Si ricordò che il giorno dopo sarebbe stato mercoledì, e il mercoledì era la sera del bar. Decise che era troppo stanco per camminare: proseguì fino a Cairoli, trovò un taxi libero e si fece portare a casa.

La madre di Colnaghi non sapeva bene come spiegarlo: era un particolare importante, e un racconto in grado di soddisfare un figlio non poteva eluderlo: ma doveva essere annacquato per non risultare pericoloso. In ogni caso, doveva ammetterlo: l'Ernesto non era soltanto fiero di quello che stava accadendo – delle sue notti, di cui aveva cominciato a parlarle, sottovoce, pregandola di tacere. Era anche cambiato, e nel profondo. I suoi compagni erano i suoi fratelli, e l'Italia delle fabbriche un'Italia migliore: una nuova luce si era impadronita di lui.

Cominciò a darsi da fare anche per i ragazzi che avevano ricevuto gli ultimi bandi di reclutamento. Li accompagnava dal Mariani, il proprietario di una ditta tessile che spesso li assumeva per finta allo scopo di imboscarli, oppure cercava loro un riparo presso la famiglia di qualche amico.

Un giorno il suocero lo prese da parte nella stalla del Volonté e gli disse che se fosse andata avanti così, l'avrebbe sbattuto fuori di casa. Gli arrivavano troppe voci da troppa gente, e non gli piacevano quei senzadio che frequentava. «Te devi farti i cazzi tuoi, t'è capì? Perché se poi vengono i fascisti a rompermi le balle, ci rimettiamo tutti».

L'Ernesto chinò il capo e si massaggiò il mento come un pugile, senza dire nulla.

«Pensi che son cattivo, eh?», riprese lui. «Lo pensano tutti. Ma non è vero: io voglio tenere insieme la mia famiglia e basta. Qui ormai dobbiamo ragionare così, ognuno per sé e Dio per tutti, e se vuoi che i tuoi figli abbiano da mangiare devi imparare a stare zitto. Vai dal parroco a farti spiegare la vita, va'».

Ma anche al parroco non andavano giù i fascisti. Una volta vide un gruppo di ragazzi che stavano per essere bastonati in una viuzza dietro la parrocchia, e si lanciò in mezzo alle camicie nere senza paura: «Non toccateli!», gridò. Si prese uno spintone e cadde a terra ferendosi a una mano, ma se non altro li aveva salvati.

L'Egidio lodò questo comportamento, così come lodò i primi raduni di partigiani bianchi in parrocchia: ma ribadì ai suoi ragazzi di stare lontano dalla chiesa.

«L'uomo con la veste si schiera di natura con il potere», disse. «Non ci si può fidare, è sempre stato così, fin dall'inizio della storia. Certo, uno come don Michele vi sembrerà un'eccezione: ma per quanto sia un bravo prete, resta un prete. E il comunista, i preti li manda a fare in culo».

Intanto l'inverno proseguiva. A dicembre era nato Giacomo: bèl cum'è il so pà, gli dicevano. L'Ernesto era pazzo di lui e non smetteva un attimo di tenerlo in braccio. Nel freddo, sotto la luce di una candela, sembrava ancora più piccolo e debole della sorella: mentre lo guardava dormire provò di nuovo quell'impulso primordiale, assoluto:

difendilo. Difendilo a qualunque costo, e cerca di rendere il mondo un luogo adatto a lui.

Qualche giorno dopo chiese all'Enrico Crespi di comprargli un regalo in Svizzera. Il Crespi faceva il contrabbandiere, e aveva continuato a farlo anche in quei giorni: all'alba si caricava la gerla sulla groppa e andava su verso il confine, in mezzo ai fuggiaschi e ai matti e ai partigiani: con tutti divideva un po' di tempo, a tutti chiedeva un po' di pane, e con tutti si fermava a raccontare storie. La notte tornava con la cesta carica di beni ormai introvabili – cioccolato e pane bianco e salame – e li lasciava alla madre, una vedova di guerra che li rivendeva dietro l'aia. L'avrebbero beccato di lì a tre mesi e sarebbe finito in prigione, e poi chissà dove, perso come tanti in quegli anni: ma allora operava sempre senza paura, e a chi gli chiedeva perché non smettesse rispondeva sempre: E per far cosa?

Il 18 dicembre, due settimane dopo la nascita di Giacomo, il Crespi tornò con un sonaglio multicolore, in legno e peltro, che l'Ernesto pagò anche più del dovuto: di fronte alle proteste della Lucia e le mani nei capelli del suocero si limitò a dire che era per suo figlio, e questo doveva chiudere tutti i conti.

E così il Natale del '43 passò, in un modo o nell'altro, e in un modo o nell'altro tutti tirarono il fiato: ma con l'inizio dell'anno nuovo ripresero le proteste. I tedeschi, dal canto loro, mostrarono la carota dopo il bastone: ci fu qualche razione supplementare in fabbrica, che l'Ernesto portò sempre a casa.

Quanto alle attività eversive, si era specializzato nella distribuzione di volantini. Andava col Pagani – il compagno alto e silenzioso che aveva aperto le bottiglie con un coltello quella sera di settembre – alla stamperia del Croci, vicino al Santuario. Il padrone, un socialista di vecchia data, li faceva passare nel retro e ordinava al garzone di far andare il ciclostile. Mentre aspettavano che i fogli diventassero da uno a mille, il Croci offriva loro delle sigarette e si entusiasmava di fronte alle riunioni segrete in cascina.

«Ah, fossi più giovane!», sospirava. «Viàlter fì ben. Sono orgoglioso».

Il problema era quindi portare il pacco in fabbrica. Preferivano andarci la domenica pomeriggio dopo pranzo, quando non c'era in giro nessuno: filavano veloci in bicicletta, l'uno di fianco all'altro, e seppellivano il tesoro dietro una pietra a due passi dalla cancellata, dopo averlo ricoperto con cura in modo che non prendesse umidità. L'Ernesto l'avrebbe dissotterrato il mattino dopo, all'alba, prima del turno: e quindi fatto passare di mano in mano per annunciare uno sciopero, o incitare i compagni alla rivolta, o convincere qualche scettico.

Fu beccato una volta sola, alla fine di gennaio: il caporeparto, che da giovane aveva fatto la corte invano alla madre dell'Ernesto, fu indeciso se vendicarsi del destino oppure graziarlo nel nome della nostalgia. Arrivò a una soluzione di mezzo: chiuderlo per un'ora nello sgabuzzino, pestarlo per bene e togliergli una giornata di paga. Quando lo disse all'Egidio, qualche giorno dopo, lui gli rispose soltanto: «T'è andata di lusso».

L'Ernesto mandò giù aria e saliva.

9

Il bar non aveva nome. Era semplicemente il bar.
Una porta a vetri con tende rosse che sbucava, del
tutto incongrua, fra due palazzi popolari dopo il ponte
della ferrovia: nessuna insegna, nessuna indicazione.
Solo una grande stanza con un biliardo incassato a sinistra, la luce che pioveva storta, il bancone in metallo
e una manciata di tavolini: dalla porta in fondo si ac-
cedeva a un minuscolo campo da bocce, con un alberello
a fianco.

Colnaghi l'aveva scoperto per caso, allargando lentamente i cerchi delle sue camminate. Avrebbe potuto
terminarle ovunque, in posti molto più graziosi e meno
lontani di quel ritrovo di comunisti: ma c'erano due
motivi per cui aveva scelto quel posto.

Il primo era il solito – andare nei posti dove sarebbe
andato suo padre, per quanto si sentisse un po' fuori
luogo.

Il secondo era intimamente legato al primo: ci andava
per le storie. Nessuno gliene aveva mai raccontate, e
ormai aveva soltanto quelle raccolte nella carriera:
storie brutte, di omicidi e di furti, di violenza e disperazione: storie di morti uccisi e di sagome con il gesso

a disegnare i corpi per un paio di giorni, e poi più nulla – non un'impronta, non un ricordo sulla terra. Storie di disgrazia e truffe. Storie di terrore cieco, soprattutto, di fronte a una giustizia che i più consideravano come astratta e distante, una stella che non emanava calore alcuno: gente atterrita da quello cui andava incontro, carte, anni d'attesa, soldi da spendere, e poi processi che non sistemavano nulla. Nessuna storia che potesse addormentarlo in pace.

In quel bar invece era diverso. Poteva spiare quel mondo sepolto in un angolo e ascoltarne le voci, provando a immaginare anche l'Ernesto in mezzo a quegli uomini corpulenti e chiassosi – e provando a immaginare se stesso. Che bambino sarebbe stato, con a fianco suo padre? Forse molto più simile a lui; forse privo di fede; forse molto più felice. O forse si sarebbero odiati, chissà. E l'Ernesto, invece, cosa avrebbe pensato di lui? Se fosse tornato dal regno dei morti per un bicchiere di rosso, come l'avrebbe giudicato? Un bigotto e un servo dei padroni, o un figlio di cui andare fiero?

Aveva smesso da vent'anni di fare domande alla madre e ai vecchi del paese, perché si era accorto che nessuno gli poteva restituire quanto cercava: un uomo cui mostrare cos'era diventato. Ma ogni volta che tornava al bar se lo domandava, e avrebbe dato qualsiasi cosa per saperlo. Magari perché quello era il luogo giusto per accogliere anche la sua, di storia. Se avesse avuto il coraggio di aprire la bocca e cominciare, qualcuno lo avrebbe ascoltato: e più invecchiava, più coltivava l'idea che ascoltare un uomo significa cominciare a salvarlo.

Avrebbe potuto raccontarla a Franco Benelli, benzinaio, mezzo sordo e con un amore viscerale per le automobili Lancia (passava il tempo a raccontare la bellezza dei vecchi modelli, la Flavia su tutte). Oppure alla Rinetta, fornaia con una voce da soprano, che ogni tanto cantava un'aria da sola a bassa voce, mentre beveva il suo Campari. O ai due che sembravano fratelli e parlavano soltanto fra di loro, giocando a scopa in un angolo. O persino al ragazzino di dodici anni che aiutava il barista e girava sempre con gli occhiali da sole. E ad altri ancora.

Frequentava quel posto da più di un anno, e aveva cominciato a far parte del paesaggio: il proprietario sapeva cosa servirgli – una cedrata d'estate, un punch d'inverno – e qualcuno lo salutava con un cenno del mento.

L'unica persona con cui scambiava due chiacchiere ogni tanto era un vecchio tranviere, Giovanni Ferri: veniva con i colleghi a farsi un bicchiere finito il turno, prima di tornare a casa dalle mogli (che Colnaghi immaginava irrimediabilmente brutte e stanche, dai volti segnati da rughe: mogli che si ritrovavano a fumare in ballatoio, guardando le incrostazioni d'umido delle scale, in palazzoni a nove piani di Sesto, di Cinisello, di Cologno). Ferri era un omone con due ciocche di capelli ricci che spuntavano, imbiancate e un po' grasse, sotto il berretto di lavoro che non toglieva mai. Quella sera stava solo, con il mento buttato fra i palmi, i gomiti puntati al bancone. Colnaghi gli andò accanto per ordinare.

«Dottore, buonasera», disse Ferri voltandosi.

«Buonasera a lei. Come va?».

«Siamo qui. Solito. Ha visto il Tour?».

«Sì, che pena. Io tifavo Knetteman».

«Davvero?».

«Già».

Ferri sembrò stupito e non proseguì. Colnaghi prese la sua cedrata e tornò a sedersi. Di solito la conversazione con Ferri non andava molto oltre, ma Colnaghi ne era affascinato: sotto quell'aspetto celava qualcosa di dolce che non riusciva a cogliere. Aveva intuito che la nipote aveva qualche problema grave, ne parlava spesso coi colleghi, ma non era mai riuscito a saperne di più.

L'altro personaggio che lo colpiva era un pittore. Anche lui era presente all'appello, quella sera, e come spesso accadeva aveva uno dei quadri con sé: lo teneva per il bordo, appoggiato contro la gamba, mentre beveva una birra in piedi nel centro della sala. E anche per lui Colnaghi aveva pronta una storia su misura: trent'anni, di giorno insegnante d'arte, il pomeriggio e la sera artista incompreso; una fidanzatina a Venezia – dove magari aveva studiato per un anno? – che andava a trovare nel fine settimana, o che ospitava in un appartamento non troppo dissimile da quello di Colnaghi, magari ancora più a est.

Tre ragazzi bassi e dai tratti molto simili – sembravano fratelli – entrarono nel locale e salutarono il proprietario. Un tizio sul fondo si alzò e andò in bagno. Colnaghi spiò il quadro. Era un paesaggio di montagna: un villaggio arroccato sulla parte alta di una valle, ma immerso nella nebbia o in una nuvola di bassa quota. Il vapore liberava soltanto alcuni dettagli: una manciata di case colorate, il fumo più scuro dei camini, un edificio dal tetto verdastro – forse una scuola di recente costruzione – e qualche macchia scura del colle. Le montagne dietro non erano visibili, ma lo spettatore poteva comunque ipotizzarle. Il campanile, con una punta rossa a mo' di cipolla, tipica delle chiese alpine, era l'elemento centrale: svettava in tutta la sua altezza contro il resto del villaggio, e uno strano bagliore vibrava nel punto dove c'erano le campane.

Un uomo si avvicinò al bancone chiedendo di segnare un altro bicchiere di vino. Il barista scorse il quaderno con un dito e scosse la testa: «Non ti vedo mica», disse.

«Metti su gli occhiali», rispose il tizio.

Qualcuno rise. Colnaghi decise che la serata era finita. Uscendo dal bar, come ogni volta, si mise a camminare lungo la strada che costeggiava la ferrovia. Al suo fianco correva un rialzo improvviso sulla cui cima stavano i binari: e oltre, dopo il fremito e l'urlo di un treno, il profilo e il colore di enormi case popolari – arancio, giallo limone, malva.

Colnaghi fece un lungo respiro e proseguì. In una traversa vide un piccolo chiosco improvvisato, due tavoli legati insieme da un giro di scotch nero e due sedie di metallo. Un vecchietto in canottiera passava delle birre agli amici, mentre la radio mandava musica a tutto volume, lottando contro lo sfrigolio dei coni usurati. Cassonetti di spazzatura strapieni esalavano un odore dolciastro nell'afa. La facciata del palazzo successivo era così sporca e degradata da apparire quasi artificiale: Colnaghi si fermò a guardarla dal basso in alto, come si ammira una rovina del passato.

Se avesse avuto il coraggio sarebbe tornato al bar con la sua storia e avrebbe cominciato così: io Giacomo Pietro Colnaghi domando perdono per la mia inadeguatezza e i miei difetti. Domando perdono perché sono sette mesi che non giaccio con mia moglie. Domando perdono a tutti voi ma ora vi racconterò dove sono nato e come sono cresciuto, vi racconterò di mio padre. E voi mi salverete.

10

Il tizio all'angolo fra via Freguglia e corso di Porta Vittoria faceva dei panini stupendi. Colnaghi addentò il suo e sentì la mozzarella sfilacciarsi in bocca. Panini *stupendi*, precisava: non era solo una questione di gusto ma anzitutto di estetica, di equilibrio.

La Franz lo ascoltava annoiata. Sedeva di fianco a lui sulla panchina di piazza San Pietro in Gessate, facendosi aria con un volantino. L'estate a Milano era un inconveniente che tutti si aspettavano finisse in fretta.

«Perché non mangi nulla?», le chiese lui.

«Non ho fame».

«Sei troppo magra. Lavorare stanca».

«Ti ho detto che non ho fame».

«Come ti pare».

«Lo sai che a pranzo non mangio quasi mai. Perché mi hai detto di accompagnarti?».

«Ti fa bene. L'aria del Palazzo vi dà alla testa. Guarda lì che roba». Indicò di fronte a loro il Tribunale, lo schianto grigio dell'edificio contro il cielo e i palazzi del centro. «A furia di viverci dentro vi dimenticate com'è il mondo. Farai la fine di un gerarca sovietico, compagna».

Lei lo squadrò per qualche istante, poi tirò fuori una sigaretta. L'accendino non le andava, chiese i cerini a Colnaghi. Finalmente riuscì a prendere una boccata, e scagliò il fumo con rabbia verso il cielo.

«Senti, collega», disse. «È da un po' che volevo chiedertelo».

«Cosa?».

«Tu sei di Magistratura democratica, vero?».

«Già».

«E non ti senti a disagio?».

«Perché dovrei?».

«Perché quelli di Magistratura democratica sono rossi», disse lei con il tono di chi parlava a un bambino.

Colnaghi finì il panino e si pulì gli angoli della bocca con il tovagliolo di carta.

«Non è del tutto vero. E in realtà non mi interessa poi molto. Anzi, credo proprio che fonderò una nuova corrente: Magistratura plastica. Ti va di iscriverti?».

Lo fissò alzando un sopracciglio. «Tu sei proprio strano», disse.

«Che ti devo dire. Non mi piacciono queste beghe, e penso sinceramente che la magistratura, in Italia, abbia un grosso problema di coscienza».

«E cioè?».

«Ci lasciamo ossessionare dalla politica, quando invece dovremmo dedicarci alle persone, ai fatti: lavorare di più e molto meglio». Tossì. «Ora sei ancora giovane, lo capisco: ma vedrai che quando avrai dei figli molte cose ti sembreranno meno rilevanti».

«Come mai questa mi suona come una frase maschilista?».

«Veramente te lo dico perché è successo a me». Accartocciò l'involucro del panino e si guardò intorno alla ricerca di un cesto dei rifiuti. «Senti», disse, «visto che sei così interessata alla mia figura, ti svelo un altro segreto che ti farà rabbrividire. Dopo ogni decisione importante, prego».

«Per la tua anima?».

«No. Prego Dio di non avere commesso errori. Eccezioni sempre, errori mai. E non chiedermi cosa vuol dire perché te l'ho già spiegato».

«Ripeto, Colnaghi. Sei davvero, davvero strano».

Lui localizzò un cestino, alle loro spalle, e si alzò a buttare la carta.

«Ci vorrebbe un bel gelato», disse tornando. «Ti andrebbe un gelato?».

«Che hai votato al referendum sull'aborto?», gli chiese la Franz.

«Fragola e limone?».

«Che hai votato?».

«Vedo che non hai fatto tesoro di una sola parola di quanto ho detto».

«Che hai votato?», ripeté.

«Contro», sospirò.

Lei scosse la testa con una smorfia: «Figuriamoci. E toglimi una curiosità, come mai uno così ha chiesto a una come me di collaborare con lui e l'untuoso, fidato Micillo?».

Colnaghi ridacchiò: «*Untuoso?* Lo trovi untuoso?».

«Non mi piace e lo sai benissimo. Rispondi alla domanda».

«Te l'ho già detto: perché credo tu sia molto brava».

Lei aprì la bocca e sbatté gli occhi due o tre volte: il naso a becco – in famiglia, Colnaghi la chiamava «la poiana del nordest» – sembrò quasi staccarsi dal viso. Eccola lì, la friulana dura come il marmo, piovuta a Milano un anno prima, e subito nelle grazie del suo capo: bastava un niente e veniva giù anche lei.

Balbettò qualcosa imbarazzata; a salvarla arrivò proprio Micillo, che stava attraversando la strada a grandi falcate. Era uscito dall'ingresso principale del Palazzo di Giustizia e agitava in aria una manciata di fogli.

«Ce l'abbiamo!», gridò. «Ce l'abbiamo».

«Cosa?».

«La Berti ha parlato», ansimò, avvicinandosi. «Abbiamo un nome».

Nel suo ufficio Micillo lesse il verbale della Berti: «*In una riunione di compagni (eravamo cinque o forse sei) – poi dice i nomi – pochi giorni prima del mio arresto, c'era anche un ragazzo che non avevo mai visto prima*. E qui lo descrive con chiarezza. Quindi prosegue: *Questo ragazzo, molto autorevole, disse poche parole. Dopo un po' uscì. Io chiesi se qualcuno sapeva chi fosse. Mi fu detto da due dei presenti che era Gianni Meraviglia, il capo di Formazione proletaria combattente e uno del gruppo di fuoco che aveva giustiziato Vissani*».

Qui Colnaghi, che aveva tenuto gli occhi bassi e

chiusi per ascoltare meglio, alzò la testa all'improvviso e fece un sorriso, che gli altri ricambiarono.

«Vai avanti», disse.

«Chiesi se qualcun altro dei presenti avesse fatto parte del gruppo di fuoco. Non ebbi risposta. E questo è tutto».

«Lo sapevo», disse Colnaghi. «Lo sapevo che c'entrava Meraviglia. Ha cambiato domicilio due volte di recente, al momento non è rintracciabile. Finora è stato bravo e non si è mai fatto beccare. L'hanno già fermato una volta, ma prima dell'omicidio: avevo già pensato di tornare su di lui, ma questa è la conferma che ci serviva».

«Allora è deciso», disse Micillo.

«Abbiamo altre informazioni?».

«Due indirizzi: uno in Bovisa, l'altro al Giambellino».

«Benissimo. Caterina, ti chiediamo subito i mandati di cattura: con l'altro materiale che ho raccolto abbiamo finalmente indizi sufficienti».

Lei e Micillo annuirono. Colnaghi uscì in corridoio – le luci al neon erano stranamente già accese, forse un errore della portineria –, quindi passò in bagno a lavarsi la faccia e tornò nella sua stanza.

Aprì la finestra, accese la pipa e si piantò di fronte alla mappa che teneva appesa al muro. Dal nome GIANNI MERAVIGLIA si irradiavano alcune frecce di colore verde, ciascuna con accanto un quadrato, che conteneva un nome e un numero di riferimento a un fascicolo del suo archivio personale. Ogni fascicolo conteneva copie di atti processuali, servizi di osservazione e pedinamento, sentenze di condanna, indicazioni di case circondariali in cui i soggetti erano stati detenuti insieme anche per qualche giorno, verbali di perquisizioni, arresti, sequestri, intestazioni di telefoni, copie di libretti di auto, contratti di locazione, foto di manifestazioni, controlli casuali: qualunque documento o notizia utile che dimostrasse i contatti principali di Meraviglia. La grande maggioranza dei nomi corrispondevano a quelli fatti dalla Berti.

Infine, a lato delle frecce di colore verde, il nome di Anna Berti, in un cerchio rosso, con il numero di riferimento al suo fascicolo, ma un punto di domanda al fianco.

Meraviglia: dissidente fra i dissidenti, probabile ex associato della colonna Walter Alasia di Alfieri.

La Berti: una persona in apparenza comune, con una figlia, abituale prestanome per gli affitti, legata in origine alle Br storiche, quelle di Moretti.

Colnaghi si grattò il naso, eccitato, e con un colpo di penna tolse il punto di domanda. Ora l'angolo della carta era privo di dubbi, e la sua ipotesi – un gruppo ridotto, otto-dieci componenti al massimo, con un gruppo di fuoco ancora più ridotto e Gianni Meraviglia come capo ed esecutore materiale – sembrava confermata.

Rimise il cappuccio alla penna, l'appoggiò sulla mensola dei libri, circumnavigò la scrivania. Infine si fermò: in un cassetto teneva una cartella con numerose rivendicazioni di attentati, risoluzioni strategiche e altri documenti dei principali gruppi armati di sinistra: lo prese e ne rilesse alcuni. Si soffermò in particolare sulla rivendicazione dell'omicidio Vissani, che ormai conosceva quasi a memoria. *La forza della borghesia contro la rivoluzione proletaria non si incarna solo nella politica statale né sfrutta soltanto la stampa di regime, bensì si nutre di tutte le figure che la sostengono in apparente innocenza, soprattutto negli organismi regionali e locali. È lì che l'azione rivoluzionaria deve colpire.*

Rimise il foglio nella cartella e la richiuse. Era uno dei pochi a sostenere l'importanza di studiare la lingua di quei comunicati – così burocratica e sterile, slegata da ogni realtà, paradossalmente tanto simile a quella dei politici che combattevano. Avevano creato, forgiandolo a furia di ripetizioni e proclami (mai un dubbio, mai una domanda), un vocabolario che era il commento di se stesso. La parola non illuminava più nulla. Gettava soltanto un'ombra.

Colnaghi fece un tiro dalla pipa, ma era spenta. Riaccese il fornelletto con un fiammifero e qualche boccata, e tornò a sedersi alla scrivania. Quindi prese un foglio bianco, temperò la matita soffiando il fumo attorno a sé, e scrisse di getto:

Il problema del terrorismo rosso è che rivela uno stato di adolescenza all'interno del vecchio corpo italiano. La Repubblica non ha gli anticorpi, e dunque perde di credibilità. (Obiez. semplice e radicale: come fidarsi di chi ha messo in campo la «strategia della tensione»? Non si può. Quindi lotta a oltranza; quindi, rivoluzione).

Ma chi sceglie di sparare è accecato dal desiderio di avere tutto e subito, a qualsiasi costo: una perversione.

(Il «tutto e subito» coincide sempre con qualcosa di atroce, e mai con quello che si sogna). Quindi: non è rivoluzione, bensì <u>vendetta</u>. (Il che genera altro desiderio di vendetta: cfr. quanto successo alla commemorazione Vissani).

Eppure molta gente ha mostrato (mostra ancora?) simpatia verso di loro: per i loro fini, e per questo porsi come «vendicatori». È il punto chiave. Se delle persone ci credono, se nelle fabbriche erano sostenuti, ci <u>deve</u> pur essere una ragione. (A meno di non considerare tutti pazzi).

Dunque: com'è possibile che da premesse spesso estreme ma in parte condivisibili, o comunque comprensibili (l'impegno della sinistra extraparl. per l'equità sociale, la critica all'abuso di potere, la lotta contro la repressione, ecc.) si arrivi a giustificare l'omicidio a freddo che fra l'altro non porta a nulla? Dove si spezza il filo?

Si interruppe un istante, poi premette a fondo la matita sul foglio, quasi con rabbia, e scrisse:

COME SI FA A «PORGERE L'ALTRA GUANCIA», QUI?
COME SI FA?

Prendeva spesso delle note come quella, e quasi sempre facevano tutte la stessa fine: il cestino. Rimase un po' a guardare le frasi senza rileggerle, come meri segni, quasi a verificare la sua grafia tonda, infantile. Quindi tirò fuori dal portafoglio il suo biglietto, lo rilesse, lo baciò e li rimise nel portafoglio.

Bussarono alla porta. Era di nuovo Micillo: Colnaghi si alzò e si mise a scudo contro la scrivania, ma quel gesto attirò l'attenzione del collega, che lo aggirò e vide subito il foglio fresco di matita. «E questo?», disse. «*Il problema del terrorismo...*».

«Sono solo appunti, non leggerlo», intervenne Colnaghi: ma Micillo proseguì, e quando ebbe terminato lo fissò con un sorriso cupo: «Senti, senti. La Repubblica senza anticorpi? Porgere l'altra guancia?».

«Ti avevo chiesto di non leggerlo», disse Colnaghi strappandogli il foglio di mano. «Non era il caso di frugare fra le mie carte».

«Non stavo frugando».

Colnaghi fece una smorfia e voltò le spalle, fece altri due passi verso la finestra. Per strada gli avvocati andavano e venivano a passo rapido: ogni tanto compariva qualche studente. «Questa cosa mi sta facendo esplodere la testa».

«La questione Vissani, dici?».

«Tutto. Tutto... questo», disse Colnaghi voltandosi e aprendo le mani davanti a sé, come per indicare l'intero mondo. «Il modo in cui...». Poi scosse la testa. «Senti, lasciamo perdere. Ti chiedo solo di non farne parola al procuratore capo o al vice. Sto già abbastanza sulle scatole a entrambi».

«Ma stai scherzando? Figurati se faccio una cosa del genere».

«Al capo non piaccio perché sono un cattolico indipendente», considerò Colnaghi. «E al vice non piaccio perché sono lombardo, mentre lui è napoletano come te».

115

«Casertano, prego».

«Casertano e di buona famiglia. Milano governata dai terroni». Sorrise: «Dove andremo a finire!».

Micillo invece non rise: «Avanti», disse. «Abbiamo ben altro a cui pensare».

Lavorarono in piedi, i pugni appoggiati alla scrivania, incrociando i loro dati per preparare la richiesta di mandati di cattura da mandare alla Franz. Per tutto il tempo, Micillo sembrò imbarazzato e nervoso. Quando ebbero finito lo salutò con una piccola pacca sul braccio. Aprì la porta, si fermò un istante con la maniglia in mano e disse voltandosi: «A dirla tutta, vorrei sapere perché ti lasci prendere così tanto. Questi si meritano solo di morire. Chi diavolo ti ha messo in testa quelle idee?».

11

Già, chi gli aveva messo in testa quelle idee?

A vent'anni era solo un impiegato di banca che la sera studiava invece di andare al bar: aveva scelto Giurisprudenza perché convinto di trovare un buon posto, diceva, ma in realtà già da tempo aveva cominciato a interessarsi con Mario di tutt'altro: dai diritti degli operai alla riforma del clero dopo il Concilio Vaticano, dalle tragedie del sud alla gestione delle opere di carità. Mario comprava libri che poi prestava all'amico, e insieme passavano il tempo sognando un sistema che consentisse a tutti di avere una vita felice. Non solo equa, non solo giusta: felice. E i suoi studi potevano essere un ottimo contributo alla causa: la legge, agli occhi del giovane Colnaghi, era semplicemente un argine invalicabile al potere del più forte.

Un giorno Mario gli parlò di un posto a Quarto Oggiaro che aveva conosciuto tramite un amico milanese: il Circolo Perini. Gli disse che erano cristiani «di sinistra», un po' come loro – più o meno. Gente che cercava quello che Mario chiamava *il fondamento popolare*: un'etica di base che tutti, a loro avviso, condividevano anche senza saperlo: comunisti e liberali, uomini di

Sturzo e socialisti vecchio stile: non contavano le mille diatribe: contava il fatto che in fondo, ogni persona di buona volontà sapeva cos'era bene e cos'era male.

Cominciarono a frequentarlo anche i due ragazzi, e ne furono entusiasti. Per qualche anno, Colnaghi si sentì partecipe di un movimento più ampio, ed era come se tutta la città, tutta la nazione, tutto il mondo volessero discutere di quanto fosse splendido cambiare la propria vita in meglio. C'era spazio per chiunque, e tutti litigavano di continuo ma erano anche d'accordo su tante cose: soprattutto, sul fatto che ci fosse ovunque una disperata necessità di riparlare del bene: bene vent'anni dopo la guerra e dieci anni dopo la fatica della ricostruzione; bene per i vecchi e i giovani e i confusi e i derelitti; bene per un'Italia che poteva diventare ancora qualsiasi cosa.

Al Perini non c'erano uomini dell'apparato, e per questo la cultura cattolica ufficiale non lo vedeva di buon occhio: un'altra cosa che al giovane Colnaghi piaceva molto (e che invece inquietava un po' Mario). Dicevano che ci era stato pure Curcio, che era frequentato da Mario Moretti – ma anche a ripensarci, lui non li aveva mai visti. Ci vide invece un incontro sulla Resistenza che lo commosse. Ci vide Pasolini, una tavola rotonda sulla delinquenza a Milano, un film sulle lotte dei lavoratori. E certo, non era sempre facile: lì in via Val Trompia, nella stessa sede del Perini, passavano anche casinisti di ogni tipo, barboni, e pure qualche eroinomane con gli occhi sempre chiusi che a Colnaghi fece un'enorme impressione. Ma come avrebbe imparato a guarire quei mali, senza prima conoscerli sulla propria pelle?

Certe sere venivano i fascisti a gridare sotto le finestre, a mettere paura a tutti. E nel '71 arrivarono con le pistole e le molotov. Colnaghi ricordava nitidamente l'esplosione, le vetrine infrante, la fuga nella notte, un'auto in fiamme, la gente che correva fuori urlando, e lui terrorizzato, un giovane e brillante pretore impotente di fronte a quella violenza mostruosa, mentre Mario agitava un pugno contro l'altra parte della strada e gridava: «Bastardi! Fascisti di merda! Fascisti di *merda*!».

Dopo quell'episodio le loro visite si diradarono. Del resto Colnaghi aveva sempre meno tempo, e in fondo anche sempre meno voglia. Pochi mesi prima aveva vinto il concorso di magistratura, e a gennaio l'avrebbero spedito al Tribunale di Cagliari, la sua prima sede, destinazione tipica per i pretori appena nominati. O forse aveva solo paura, chissà. Non andò più al Perini, e fu addolorato quando scoprì che nel 1980 il fondatore era stato gambizzato dalla colonna Walter Alasia delle Br. Le hanno prese da destra e da sinistra, rifletté. Solo in questo paese.

Ma ripensandoci, avrebbe tanto voluto salvare in qualche modo quel periodo fatto di risate e lunghe sere dopo le otto ore in banca, e bicchieri di vino bevuti in faccia alla notte, il sabato, a casa di un amico d'università, uno studente che abitava in un condominio ad Affori o a Roserio, mentre qualcuno tirava fuori quella che era sempre l'ultima bottiglia, sempre l'ultima, e nel piccolo dipinto dell'inverno 1969, traumatizzati dalla bomba di Piazza Fontana, erano lui e Mario e le ultime parole di militanti che a breve si sarebbero detestati e accusati a vicenda, cattolici e uomini di sinistra che non avrebbero più trovato veri margini di dialogo: e *bene comune*, dicevano, *religione e laicità*, dicevano, *istanze sociali*, dicevano, *lotta senza quartiere allo stragismo*, dicevano – e nessuno era mai d'accordo su niente ma tutto sembrava comunque bellissimo: e poi, poi di colpo era già l'alba, e i due tornavano a Saronno con l'auto del papà di Mario, fra le stoppie nere e la brina del mattino, mentre tutto attorno a loro era immobile nel gelo e Colnaghi, riverso contro il finestrino in attesa di dormire qualche ora prima di andare a messa, avrebbe soltanto voluto un modo per carezzare quella sua terra, quel suo tempo, quella vita.

Ma quello che non aveva compreso – e che invece il suo amico Doni, il lucido Doni, aveva crudelmente previsto – è come di tutto questo caos gioioso non sarebbe rimasto molto. Sarebbe stato divorato in fretta dall'odio reciproco: o alla meglio, sarebbe stato risucchiato da quel meccanismo che trasforma un idillio pubblico in semplice amarezza privata: la nostalgia.

Tuttavia, poco prima che il lavoro diventasse la sua unica occupazione, accadde un'ultima cosa – forse la più importante.

Mario, ancora nel bel mezzo della sua complicata storia d'amore, aveva organizzato a Saronno tre incontri dedicati al rapporto fra giustizia e cristianesimo. Formalmente era un modo per avvicinare i cittadini al tema, ma in realtà il fine era sempre lo stesso: ritagliarsi un posto più in luce nella sezione locale della Dc: per «cambiarla radicalmente dall'interno», diceva.

Colnaghi partecipò soltanto all'ultimo incontro. Il marzo del 1972: era appena morto Feltrinelli, e lui era tornato per qualche giorno dalla Sardegna – ci sarebbe rimasto fino a settembre, per poi rientrare definitivamente, abbronzato e magrissimo, l'accento lombardo un po' annacquato. Erano bastati due mesi per disabituarlo a quel freddo crudele, fradicio, che divorava l'anima: eppure nella sala della biblioteca che Mario era riuscito a ottenere l'atmosfera era piacevole, quasi incantata.

La relatrice era Maria Chiara Borghi, una professoressa sulla sessantina. Insegnava teologia all'Università di Genova – chissà come l'aveva scovata Mario – e da lì a qualche mese sarebbe morta della malattia che la inchiodava alla sedia a rotelle, un morbo al midollo spinale. Non sembrò né arrabbiata né delusa dalla presenza di sole cinque persone, ma mostrò un po' di disappunto di fronte al discorso del sindaco che diceva di voler raccogliere la grande sfida della cultura che Mario gli poneva con quel ciclo di incontri.

L'intervento fu breve e complicato, qualcosa riguardo la concezione del bene nel cristianesimo, e il rapporto fra giustizia umana e giustizia divina. Un vecchietto di fianco a Colnaghi, che forse era sgattaiolato in biblioteca per sfuggire al freddo, si addormentò con la faccia in mezzo al petto. Alla fine Mario era disperato e continuava a scusarsi con la professoressa: lei si limitava a sorridere, dire che non aveva importanza. All'improvviso restarono loro tre nella stanza vuota. Colnaghi si offrì di accompagnarla all'albergo, mentre Mario sgomberava le sedie con malinconia: era venuta da sola.

Appena uscirono dalla biblioteca lei sembrò risvegliarsi e lo tempestò di domande su quello che stava facendo: ah, era magistrato? E come si trovava a Cagliari? E su cosa stava lavorando al momento? Colnaghi rispondeva con garbo, un po' confuso. Quando incrociarono uno spiazzo sulla strada verso la stazione – un cerchio di ghiaia circondato da alcuni alberi – lei disse che avrebbe avuto piacere a fermarsi un istante.

«Ma non ha freddo?», chiese Colnaghi.

«No. E voglio solo godermi un attimo così», rispose.

Colnaghi guidò la carrozzina al limite estremo dello spiazzo, e sedette di fianco a lei su una panchina. Tacquero per un po'. L'erba sotto gli alberi era ancora sbiancata dalla brina, e di fronte a loro una tessitura di rami nudi attraversava il cielo fino quasi a toccare, con un'illusione di prospettiva, il tetto del palazzo dall'altra parte della strada.

La Borghi ricominciò a parlare.

«Le è piaciuta la conferenza?», chiese.

«Molto interessante».

«*Interessante*. Sembra un modo carino per dire che non mi ha seguita», replicò lei con un sorriso.

«No, mi creda, l'ho ascoltata con piacere. Certo, non posso dire di avere compreso tutto... Anzi, a dire la verità ci sono molti passaggi che mi sono sfuggiti. Non sono molto ferrato sul tema».

«Oh bella, ma lei è un magistrato! E inoltre è cattolico. Un'idea generale al riguardo deve pure averla. Non si è mai chiesto come fa a occuparsi di cosa è giusto e ingiusto e nello stesso tempo credere in un giudice superiore?».

«Non saprei». Colnaghi tossì e strinse le mani dentro il cappotto: come faceva quella donna a starsene immobile nella sua giacchetta rossa? «Credo di essere fermo al *date a Cesare quel che è di Cesare*», disse cautamente. «E quanto all'idea della giustizia presente nei Vangeli, che dire. Mi sembra un grosso passo avanti rispetto alla legge del taglione, al Dio dell'Antico Testamento, ma...».

«Sciocchezze», lo interruppe lei facendo ricadere la mano destra nel vuoto. «Il Dio della Bibbia è sempre il medesimo, ovunque, e non c'è passo dell'Antico Testamento che non sia pieno della stessa ispirazione: la giustizia è misericordia. *Tsedaqah*», pronunciò, gustando la parola. «Un termine per il quale non abbiamo una traduzione corretta. La legge del taglione è soltanto un'esagerazione di alcuni aspetti severi, e probabilmente legati a tradizioni precedenti, di origine tribale. Ricorda Caino? Nel suo marchio c'è già una concezione immensa della colpa e del perdono: Dio lo segna affinché non riceva il male che ha compiuto. Eppure, nello stesso tempo, non dimentica Abele».

«Non ci avevo riflettuto», disse Colnaghi dopo qualche istante. «Ma il punto rimane sempre lo stesso. Un conto è l'opera di Dio, ma la giustizia umana resta comunque legata all'idea della bilancia, no? A un equilibrio da rimettere in pari».

«No, non è così. Lei fraintende il messaggio della Bibbia, che Cristo porterà a compimento. La grazia divina è un elemento del diritto, non soltanto una concessione privata fra il singolo e Dio. Pensi ai cosiddetti *giudici* del libro omonimo: più che figure legate all'ordinamento giuridico, si tratta invece di salvatori. Di eroi».

«E allora perché quegli spargimenti di sangue? Perché tutta quella rabbia?».

«Certo. Certo. Il Dio dell'Antico Testamento – ma non solo – è pieno d'ira. Ma lo è perché pieno di passione: tiene così tanto all'uomo da indignarsi. Quel vecchio ateo e comunista di Sartre diceva che l'uomo è l'essere di fronte al quale nessun essere, nemmeno Dio, può restare imparziale. E diceva bene», sorrise. «La giustizia divina non ha nulla di indifferente, non si limita a retribuire o a compensare il male compiuto: vuole ristabilire un ordine nuovo. Dona amore ed esige amore. *Tsedaqah*», ripeté, stavolta quasi spingendo le sillabe nell'aria gelida, a disperderle come frammenti di un soffione.

Colnaghi ascoltava. D'un tratto un filo di vento gli portò alle narici un odore antico, aspro e intenso – lo stesso dei suoi inverni da adolescente, mentre usciva di corsa dalla cantina di don Luciano e si fermava a comprare un pezzetto di castagnaccio lungo la strada, o passava a salutare di nascosto gli amici del padre in osteria.

«E la colpa?», domandò.

«La colpa non scompare. Dio è caritatevole ma non stupido: non è una vecchia zia troppo tollerante che perdona di continuo e viene sempre fregata dal nipote cattivo. La Bibbia non è un romanzo: la colpa viene punita sempre, ma con un fine diverso – un fine sociale e non privato».

«Ma per chi non crede in Dio e si trova a lavorare con i fatti del mondo, tutto questo diventa un'ipotesi abbastanza irrealistica».

«Chissà. Forse invece è un esempio da seguire».

«Forse», ammise Colnaghi. «È un problema affascinante, ma è anche parecchio astratto. Nel mio lavoro non funziona così: e la restituzione del danno è un'idea troppo radicata in tutti i noi. Ed è sensato, no? Uno esige severità, esige qualcosa in cambio – oltre al fatto che il colpevole sia isolato e non possa più nuocere».

«È più che sensato, sì».

«Ma allora a cosa serve pensare alla giustizia come pietà?».

«Gliel'ho detto. Come ideale». Tossì. «Facciamo molti errori, signor Colnaghi, e dunque ci serve un orizzonte per contenerli e redimerli. Pensi a tutte le cose che lei chiama *giuste*. Può essere giusta soltanto una sentenza? Una norma? O è giusto anche aiutare una persona in difficoltà, volere bene ai propri amici, gettare una moneta a un mendicante, benché nessuna legge lo prescriva? Ed è giusto che io debba stare in sedia a rotelle? Vede com'è profondo questo concetto, come rifiuta di farsi limitare dalle nostre povere risposte. Creiamo delle regole cui siamo costretti ad applicare di continuo nuove eccezioni, per evitare che si trasformino nel loro opposto: da guide per la nostra virtù a ossessioni che ledono la nostra libertà».

Colnaghi non fu sicuro di avere capito tutto, ma qualcosa si stava facendo strada dentro di lui. Errori ed eccezioni.

«Quindi non si tratta di perdonare», disse.

«Si tratta di perdonare senza chinare la testa di fronte all'orrore. Un assassino è colpevole, e il male va punito. Non sto dicendo che il suo lavoro poggia su fondamenta sbagliate». Sorrise. «Ma senza carità, siamo perduti».

«D'accordo», proseguì Colnaghi, «ma, mi perdoni, queste sono solo parole. Quando ci si trova di fronte un uomo cui hanno rubato tutto, o una donna che è stata violentata, o anche un poveraccio che è stato truffato, cosa possiamo dire che non suoni retorico? E poi in quest'ottica rischia sempre di essere colpa di qualcun altro. Il ladro ha avuto un'infanzia difficile. Suo padre, però, è vittima della povertà. Il padrone è schiavista perché gli hanno insegnato a essere tale. E via così, fino a Caino e Abele».

«Esatto».

«Un circolo di odio reciproco che non finisce mai, in cui ognuno ha sempre una buona ragione per scaricarsi la coscienza».

«Esatto!», ripeté lei.

«Va bene, ma allora come ne usciamo?».

La donna fece un altro dei suoi sorrisi.

«Sa qual è il vero significato di porgere l'altra guancia?», chiese. «Molti lo vedono come un esempio di buonismo fine a se stesso. Altri, come un tipo di resistenza non violenta. No, in realtà il gesto di Cristo è molto più profondo. Anche quando era lecito e persino ovvio colpire, la cosa più ovvia di tutte – tu mi dai uno schiaffo, io te lo rendo – lui non lo ha fatto: per mostrare che un'altra via è possibile». Lo guardò. «Per sorprendere anche chi l'ha colpito. Questo significa amare i propri nemici: o prendi davvero sul serio tale monito, oppure è parola morta».

«E se quello che ti ha colpito va avanti a farlo?».

«È un rischio che bisogna correre. In quel caso si perde tutto. Ma è l'unico modo per interrompere il circolo di odio. O almeno, io non ne vedo altri».

Colnaghi raccolse le idee per un minuto. Davanti a loro il passaggio delle auto sul cavalcavia si era intensificato: il giovane magistrato alzò lo sguardo verso il cielo, e si concentrò sulla luce debole di un lampione: era come un frutto raggelato, arancio pallido.

«Va bene», concesse alla fine. «Ma al momento del giudizio universale? Non c'è comunque un taglione conclusivo, per cui Dio punisce i malvagi e li manda all'inferno? Non si sposta soltanto il problema più in là, eternamente più in là, a un domani dove tutti noi vorremmo comunque vedere il nostro nemico impalato?».

La donna sospirò: «Qui le interpretazioni si dividono», rispose.

«Ma lei che ne pensa?».

«Io? Io spero che abbia ragione Dylan Thomas».

«Chi?».

«Dylan Thomas. Un poeta gallese. C'è una sua bellissima poesia, dedicata al figlio Llewelyn, che si chiude

127

così: *And all your deeds and words, / Each truth, each lie, / Die in injudging love*».

«Non... Non conosco l'inglese», si scusò Colnaghi.

«Dice pressappoco: *E tutte le tue azioni e le tue parole, ogni verità, ogni bugia, muoiono nell'amore che non giudica*». Gli sorrise ancora. «Mai più vittime e carnefici. Nessun giudice implacabile. Lieto fine per chiunque».

Colnaghi aggrottò le sopracciglia e rifletté su quei versi. Rimasero un bel po' in silenzio, a prendere freddo. Il buio li ingoiò completamente, finché entrambi si accorsero di colpo del tempo passato. Colnaghi accompagnò la donna in albergo e la ringraziò della chiacchierata. Lei non rispose, e si limitò a sorridere un'ultima volta e a dargli un buffetto sulla guancia, come si fa con un bambino.

Il primo marzo del '44, alle dieci del mattino, suonò la campana nelle fabbriche del saronnese: gli operai si fermarono di colpo. L'Ernesto diede una manata al tornio e si voltò. Era uno spettacolo meraviglioso: non si muoveva una vite, non una sola lamiera strideva. Non un bullone né una chiave ad avvitarlo. Soltanto qualche crumiro, sotto le urla e gli sguardi cattivi dei colleghi, provava timidamente a lavorare. Guarda cosa possiamo fare, pensò l'Ernesto. Guarda cosa possiamo fare tutti insieme, che mazzata possiamo tirare ai tedeschi.

Quando tornò a casa strappò Giacomo dalle braccia della moglie, lo strinse forte e lo sollevò in aria per farlo ridere: «Hai visto el to pà che bravo?», gli diceva. «Hai visto che roba, belé? E ne vedrai ancora!».

Ma la reazione stavolta fu terribile. I nazisti confiscarono le tessere annonarie agli scioperanti, e due giorni dopo si misero a sparare con il mitra in giro per il paese e nelle campagne: uccisero un contadino della cascina Beghé, sugli argini del torrente Lura. Lo presero senza motivo, un proiettile che vagava. Poi misero il divieto di circolare in bici, e l'Ernesto dovette svegliarsi un'ora prima per andare a lavoro: camminava nel buio inciampando nelle

buche della terra battuta, una maledizione a ogni passo.
Partirono anche con degli arresti casuali: i militi venivano
in fabbrica, armati fino ai denti, e dicevano Tu, *tu e tu:*
con noi. La gente se la faceva sotto, perché gli operai
fermati non finivano in cella per qualche giorno, né tor-
navano – come era già capitato – con un occhio nero o
un dente rotto. Se li portavano in Germania, e nessuno li
vedeva più.

Il Roveda diradò gli incontri al casolare, e cominciò a
cercare una zona più sicura e vicina, dato che i tedeschi
avevano cominciato a battere anche le campagne. Il Clerici,
un barista di corso Italia il cui figlio militava nel gruppo
fin dal primo momento, propose di spostare le riunioni
nella cantina del suo locale. Purché facessero attenzione,
visto che la vita l'era già una merda da par lé e ci mancava
giusto una retata in mezzo alle casse di vino e Spumador
Classica.

Nel buio e nel freddo del sottosuolo, l'Egidio dettò
quindi le nuove direttive del Partito: attendiamo, dimi-
nuiamo gli scioperi. Zittì le proteste dicendo che non era
il caso di perdere uomini; i crucchi se li sarebbero mangiati
vivi. Avrebbero avuto il loro momento.

«Anzi, a proposito», disse, «è il caso che cominciamo
a procurarci delle armi. Qualcosa in più delle mie due rivoltelle e del coltello del Pagani. Ma a questo ci penso
io».

L'Ernesto sentì un brivido e guardò il ragazzo di fianco
a lui che alzava la mano: «Ma io non so sparare», disse.
«Nessuno qui sa sparare».

Il Roveda alzò le spalle: «Si impara, compagno».

Poi ricordò loro che molti erano già partiti per le montagne. In val d'Ossola, nel Verbano, fra i laghi: tendevano agguati ai gruppi di fascisti, distruggevano le polveriere e i depositi d'armi, e a volte ingaggiavano scontri fisici con i tedeschi. Vivevano alla macchia. E ogni tanto morivano.

«Vi avevo detto che dovevamo lottare», concluse. «Se non vi va bene, fuori. Questo non è uno scherzo: vogliono la guerra, e noi gli daremo la guerra».

Così li portarono a sparare nei boschi, a piccoli gruppi e solo in zone altamente sicure: l'Egidio spiegava a tutti il funzionamento di una rivoltella, distribuiva le cartucce, e invitava a colpire un punto disegnato dal Pagani a coltellate sopra una corteccia.

Quando toccò all'Ernesto, mandò il proiettile lontano un paio di metri. Aveva paura anche solo a tenere in mano una pistola, e non era l'unico. Mentre aspettavano il proprio turno si guardavano di sottecchi, quasi fosse la prima volta che si incontravano, come per misurarsi il coraggio a vicenda.

«State tranquilli», ripeteva il Roveda. «Ve l'ho detto: a sparare si impara».

E impararono. Anche l'Ernesto, alla terza prova, cominciò a capire come si prendeva la mira, come gestire il rinculo. Non fu mai un buon tiratore, comunque, e pregò di non dover mai usare armi. L'idea di ferire qualcuno lo riempiva d'ansia. Anche un fascista? Forse sì. Forse anche un fascista. Ma se quel fascista avesse rapito sua moglie? Se avesse picchiato suo figlio? Strinse più forte la pistola nella mano, ne valutò il peso: come sarebbe stato bello usarla per minacciare uno dei capetti della fabbrica. Oh, questo sì l'avrebbe fatto volentieri. Quanto sarebbe stato bello, finalmente, fargli provare la paura e la debolezza: fargli imparare una lezione.

Un giorno arrivò in anticipo e trovò il Pagani fermo ad aspettarlo, sotto una robinia. Fumava e guardava a terra, con l'aria ancora più spenta del solito. L'Ernesto lo salutò con un cenno della mano, e quello alzò appena il capo. Rimasero qualche istante in silenzio, mentre l'Ernesto si guardava intorno sperando che gli altri arrivassero in fretta.

«Ho un fratello in Libia», disse il Pagani a un certo punto.

«Ah», fece l'Ernesto, sorpreso. Era strano che cominciasse un discorso.

«Non so nemmeno bene dov'è, la Libia», continuò buttando la sigaretta per terra.

«In Africa».

«Sì, ma di preciso?».

L'Ernesto allargò le braccia. Poi disse: «Mio fratello invece è morto, mi sa. Non sono più arrivate lettere».

«Dove sta?».

«Russia».

«Dicono che lì è una merda vera».

«Già. E infatti non è più tornato».

Rimasero zitti per un minuto, poi il Pagani tirò fuori il serramanico e cominciò a tirare qualche coltellata al tronco, muovendosi a scatti come a schivare i colpi di un nemico. Era bravo e veloce.

«Visto?», disse ansando, alla fine.

«Però», disse l'Ernesto.

«Mi ha insegnato uno della Cisa. Un pugliese». Guardò il contenitore di latta che l'Ernesto aveva appeso alla cintura. «'Ste ghè in dala schiscèta?».

«Polenta. Perché?», rispose l'Ernesto indurendo la voce senza volerlo, e poi maledicendosi per averlo fatto: quello ci metteva un bè a tagliarti a fette.

«Chiedevo», sorrise, ed era la prima volta che l'Ernesto lo vedeva sorridere. Forse, a furia di stare insieme, sarebbero diventati amici.

Il Pagani accese un'altra sigaretta e si mise giù sui calcagni. Qualcun altro stava arrivando dal fondo del sentiero, si faceva strada tra i rami più fitti. Entrambi ebbero uno scatto, ma poi partirono i tre fischi che avevano convenuto come segnale.

«Uè, Ernesto», disse allora il Pagani, tornando sui calcagni. Aveva proprio voglia di fare conversazione.

«Sì?».

«Ma secondo te – adesso, non è per dire – ma secondo te».

«Eh. Cosa?».

«Dico, secondo te ci coppano?».

L'Ernesto cercò di fare una risata convinta: «Ma va'!».

«No, eh?».

«Ma certo che no. Mica siamo al fronte. Io me la son scampata per la gamba, e tu perché... Perché ti han riformato, a proposito?».

Il Pagani si strinse nelle spalle, e invece di rispondere disse di nuovo: «Allora secondo te sto tranquillo».

«Ma sì, Giuàn, che cos'è tutta 'sta paura? Detto da te, poi».

133

*Lui borbottò qualcosa e tirò un'altra coltellata al tronco:
fu così rapido che l'Ernesto non vide nemmeno partire il
colpo, solo la lama infilarsi nell'albero come fosse carne
umana. Uno degli altri ragazzi, appena arrivato, fece un
breve applauso. Il Pagani lo fissò senza espressione. Estrasse
il coltello, lo pulì da entrambi i lati nel lembo della
camicia, e se lo infilò in tasca.*

Poi guardò l'Ernesto.

*«No, perché io el mé fradèl vorrei anche rivederlo, un
giorno», disse.*

*Intanto gli americani bombardavano sempre più spesso.
Ogni due sere c'era un allarme aereo, e la gente per strada
scappava coprendosi la testa, si chiudeva nelle case o
cercava riparo nel primo androne che capitava. Ma a volte
l'Ernesto portava zitto zitto la Lucia nella piazza della
chiesa, a guardare il cielo attraversato dai lampi, scorgere
in mezzo alle stelle gelate la luce di un aereo: una vastità
che sembrava ancora più immensa, durante il coprifuoco.
«Va'ma l'è bel», diceva. «La gente si caga sotto, ma
quelli ci danno una mano».*

*La Lucia si stringeva a lui e guardava intorno, destra, sinistra,
indietro: «Te sei matto, Ernesto. Matt cumè un caval».*

«E non ti piace?».

«Non lo so», disse lei, e si faceva rossa. «Mi fai paura».

«Non devi aver paura, belèssa».

«Ma se ci fermano le guardie?».

*L'Ernesto si fece una risata: «Siamo solo due innamorati
che guardano le stelle. Che vadano a remengo!». Lei lo
abbracciò ancora più forte – e finalmente un sorriso. L'Er-*

134

nesto lo colse e continuò: «Vedrai. Appena finisce la guerra prendiamo e ce ne andiamo a Milano sul serio. Via da 'sto posto, via da quell'ostia di tuo padre, via da ogni cosa».

«Ma se distruggono tutto...».

«Ragione di più! Ci sarà tutto da ricostruire. Le fabbriche ricominceranno anche lì, ti pare? E tu farai la modista, invece di cucire stracci dalla Gilda».

«Oh sì», mormorò la Lucia. «Allo studio Covelli in corso Indipendenza. Devi vedere che meraviglia!».

«E poi la sera andremo a bere il Campari in Galleria».

«E troveremo una signora che ci tiene i bambini».

«E staremo in un posto che non puzza di vacca».

«E saremo felici».

L'Ernesto fece un piccolo nodo di capelli biondi fra le sue dita, e se lo portò alle labbra. Un'altra luce esplose in cielo.

«Sicuro», disse. «I più felici di tutti».

12

Dal finestrino entrava un profumo come di cacao: prati radi scorrevano all'orizzonte, sotto il cielo fattosi di colpo più vasto: qui e là appena un casolare, una fattoria diroccata, un cartello autostradale che annunciava uscite dai nomi ignoti. Di fronte a sé, sopra l'asfalto coperto dalle onde di calore, Colnaghi vide nuvole bianche e grigio tortora, immobili ed enormi, sospese ad occupare metà del paesaggio.

«Quanto manca?», chiese Daniele.

«Su, basta», fece Colnaghi fissandolo nello specchietto retrovisore. «Siamo appena partiti».

Mezz'ora dopo, poco prima della bretella di Tortona, il bambino si sentì male. Si fermarono a una piazzola di sosta e lui vomitò la colazione mentre Mirella gli teneva una mano sulla fronte. Colnaghi, incerto davanti a quel figlio così fragile, non sentì sorgere l'amore che avrebbe tanto desiderato provare: e per l'ennesima volta si sentì in colpa.

Ci volle ancora una tappa-vomito prima che il mare si aprisse di fronte a loro, tagliato fuori all'improvviso dopo lo svincolo per Ventimiglia, un regalo inaspettato. Le nuvole erano quasi scomparse, e sotto la luce verticale del sole di mezzogiorno l'acqua scintillava a tratti: le increspature delle onde emergevano qui e là, scheggiando una superficie di tempera scura.

Scesero dall'auto. Colnaghi era stanco, incattivito dal caldo e dai brutti pensieri. Scaricò i bagagli e prese la mano di Mirella: era sudata e molle. Si sforzò di tenerla fino all'albergo, poi la abbandonò per andare in bagno. A pranzo Giovanni ebbe una specie di crisi di nervi: continuava a piangere fino a strozzarsi, e a un certo punto cominciò a sbattere la testa contro la tavola. Mirella lo portò in stanza e tornò dopo averlo calmato; ora dormiva: «Era solo tanto stanco», disse. «Poverino, per lui è comunque un viaggio lungo, bisogna capirlo».

Presero il caffè chiacchierando con il gestore, un vecchio toscano che si era trasferito in Liguria tanti anni prima: Mirella domandò dove fosse il loro ombrellone e quindi uscirono per andare in spiaggia. Colnaghi non si era portato nemmeno il costume, ma Mirella lo convinse a comprarne uno all'edicola (ne vendevano alcuni, buffi e colorati, insieme ai giornali e alle sigarette sottobanco).

Sotto l'ombrellone lui cercò di rilassarsi guardando il cielo e disegnando cerchi sempre più piccoli con l'alluce del piede destro.

«Ecco, ci sono anche i Riva», disse Mirella a un certo punto, abbassando appena gli occhiali da sole sul naso. Colnaghi aggiustò lo sguardo nella stessa direzione della moglie: un uomo grasso con un cappello verde in testa e una signora bionda voltata di spalle. In mezzo a loro, una bambina giocava tranquilla con la sabbia.

«E quindi?».

«Sono antipatici come la morte. Di sicuro verranno a chiedermi di cambiare posto per stare vicino a loro, o di fare qualche gita insieme con i bambini».

«Fantastico. Ma soprattutto: chi cavolo sono?».

Mirella sbuffò e si riparò di nuovo dietro le lenti: «Oggi sei davvero antipatico».

«Io? Ma se sono l'uomo più simpatico del mondo!».

«La figlia ha l'età di Daniele. Lui è un imprenditore di Ceriano Laghetto. Sua moglie fa l'intagliatrice di legno, viene da Bolzano o non so cosa e ha un cognome tedesco, o austriaco. Heller, Haller, Huller – qualcosa del genere. Dice che è un'artista».

«Aha».

«Fa le madonne e gli gnomi e altre statuette. Come quelle che tua sorella si è portata da Cortina l'anno scorso, ti ricordi?».

«Certo. Ti sei lamentata per un mese perché lei era andata in settimana bianca e noi no».

«Che c'entra! Quello che intendo è: ti sembra una roba da artisti, questa?».

«Non lo so. Non ci capisco niente d'arte. Ma giunti a questo punto dell'aneddoto, credo che andrò a farmi due passi in riva al mare».

Mirella scosse la testa. Colnaghi le baciò i capelli e le tirò un pizzicotto di fianco alla spallina del costume.

Sulla battigia, Colnaghi ripensò al suo periodo in Sardegna. Se ne stava sempre al porto quando i bar erano ancora chiusi, lui troppo mattiniero per tollerare quell'indolenza. Camminava fino alla punta del molo e guardava l'orizzonte, ogni mattina invano: non capiva davvero cosa la gente ci trovasse nel mare. Lui l'aveva visto solo due volte, prima di quel trasferimento – da bambino le sue uniche vacanze erano le corse nei campi – e ora che se lo trovava di fronte tutti i giorni era comunque una delusione. Acqua, soltanto acqua. Allora tornava sui suoi passi e si metteva a sbrigare pratiche assurde, omicidi di passione e liti fra pastori. Trovava consolazione soltanto nelle trattorie e in qualche raro viaggio nell'entroterra, in compagnia di un collega che cercava di farselo amico a tutti i costi.

Vincendo la sua naturale resistenza affondò i piedi nel primo tratto di mare. Il freddo lo risvegliò. Sentiva il vento profumato tagliargli il viso, e disperdere la stanchezza e la rabbia: di fronte a lui un'isola giaceva abbandonata nel blu più profondo: oltre ancora, il profilo di una nave.

«Papà», gridò Daniele.

Colnaghi si voltò: il bambino gli corse accanto con la palla in mano. Era troppo magro, troppo pallido, e la palla troppo grande. C'era qualcosa di profondamente sbagliato in tutta l'immagine.

«Non c'è nessuno dei miei amici dell'anno scorso», disse.

«Magari sono in gita da qualche parte. Vedrai che dopo arrivano».

«Ma se invece non sono venuti?».

«Figurati. E nel caso, puoi sempre fartene degli altri. No?».

«Non lo so», disse. «Non è la stessa cosa».

«Hai ragione anche tu», sorrise Colnaghi. «Dai, ti paro qualche rigore. Hai voglia?».

Daniele alzò le spalle e piantò la palla nella sabbia. Colnaghi la spostò di qualche metro per non dare fastidio a una coppia di pensionati che prendeva il sole: poi fece due mucchietti a un paio di metri di distanza, e si posizionò nella porta improvvisata. Allargò bene le braccia per coprirla, poi si chinò sui calcagni e ondeggiò a destra e sinistra.

«Avanti!», disse.

«Beccalossi!», gridò Daniele, e caricò il primo tiro.

Prima del tramonto, Colnaghi indugiò nella sala dell'albergo perdendo quattro solitari di fila. A un certo punto notò, a una decina di tavoli da lui, un uomo robusto che sprofondava nella poltrona in finta pelle. Dalla camicia bianca, fradicia di sudore, si vedeva in trasparenza la canottiera. Si asciugava di continuo la fronte con un fazzoletto, ma il dettaglio curioso era un altro: ogni minuto circa estraeva dalla tasca una moneta da cinquanta lire e la lanciava di fronte a sé, mirando a un grosso bicchiere pieno d'acqua. Faceva centro immancabilmente, e il bicchiere era per metà reso scuro dal metallo. Fu a quel punto che i loro sguardi si incrociarono e Colnaghi riconobbe in lui il signor Riva che aveva visto in spiaggia: e Riva stesso si alzò con un sorriso, andandogli incontro per salutarlo.

«Lei è il dottor Colnaghi, vero?», disse.

«Proprio io».

«Ci siamo incrociati già l'anno scorso. Si ricorda?».

Colnaghi increspò la fronte, sorpreso: «Certo», mentì, e strinse la mano dell'uomo.

«Lei però si ferma sempre per un pomeriggio soltanto. Porta la moglie e i figli ma poi se ne torna via». Strizzò l'occhio. Colnaghi fece finta di niente. «Non fa mai vacanze?».

«Non in questo periodo».

«Peccato, peccato». Sorrise ancora. «Senta, manca ancora un'ora alla cena. Le va di fare due passi?».

«Non saprei. Mia moglie...».

«Solo due passi. Ha già visto la chiesetta tonda che c'è qui vicino? No, vero? Merita, mi creda».

Colnaghi provò ad abbozzare un rifiuto, ma il Riva insisteva: alla fine cedette. Percorsero insieme il minuscolo centro del paese – un budello dove erano ammassati negozietti di cianfrusaglie, tre forni odorosi di focaccia e farinata, un'altra edicola che vendeva palette e secchielli, e qualche vecchia che borbottava seduta di fronte alla porta. Ogni tanto un gatto tagliava loro la strada. Una volta fuori dal centro risalirono una stradina che costeggiava il municipio, mentre l'aroma di mare e sabbia si stemperava nella sera.

Il Riva non smise di parlare un solo istante. Raccontò a macchie sparse la storia della sua vita – grazie al prestito di un cugino veneto aveva aperto un piccolo calzaturificio che negli anni era diventato una fabbrica; sua madre era stata la prima preside del primo liceo scientifico della zona; durante il militare, a Pordenone, gli avevano sparato per sbaglio colpendo di striscio l'orecchio (indicò la parte mancante); lottava da anni con il diabete. Poi si concentrò sulle inquietudini del presente. Non era un bel periodo per fare l'imprenditore. E sì, d'accordo, aveva una bella macchina e una bella casa, ma chi glielo faceva fare, in fondo? Non era tanto più felice uno dei suoi dipendenti che arrivate le sei timbrava il cartellino, si puliva le mani dallo sporco della conciatura, e se ne andava a casa? E perché sua moglie si ostinava a portarlo in quella pensione da poveracci, una settimana ogni anno, invece di fare uno dei viaggi che amava tanto, in Grecia e in Spagna? A quel punto Colnaghi fu sicuro di odiarlo.

«Lei è magistrato, vero?», chiese il Riva continuando a sudare.

«Già».

«Un altro bel lavoraccio, eh?».

«A me piace».

«Sicuro, sicuro!», si affrettò a precisare il Riva. «Non sto dicendo questo. Solo, non dev'essere facile avere a che fare tutto il giorno con pazzi e assassini, no? Oh, eccoci arrivati. Guardi qua».

Di fronte a loro, al termine della stradina, stava una costruzione in pietra grigia, perfettamente rotonda. Poteva sembrare una piccola torretta d'avvistamento per i saraceni, ma era troppo in basso per risultare utile. Quando entrarono si rivelò, effettivamente, una strana cappella circolare: la luce pioveva dall'alto a fatica, perdendosi come in grani, smarrendo nitore attorno all'altare. Colnaghi immaginò le messe al gelo dei pescatori, tanti anni prima, durante l'inverno.

Si fecero il segno della croce, e il Riva lo sorprese calandosi in ginocchio sulla seconda delle quattro file di panche. Fece un gran rumore e una smorfia, poi chiuse gli occhi e cominciò a pregare. Colnaghi si allontanò da lui per rispetto. Chiuse gli occhi e sbrigò un Padre Nostro meno convinto del solito, poi si fermò a contemplare le tracce di un brutto affresco quasi cancellato dal tempo – una Natività. Avvicinò una mano alle forme sgraziate del viso di Maria, che offriva un Gesù bambino sproporzionato ai magi, quando sentì un respiro rotto alle sue spalle.

Si voltò, e benché non potesse esserne del tutto certo, gli parve che il Riva stesse piangendo. Ora teneva il volto fra le mani e sospirava di tanto in tanto, interrompendo la litania a bassa voce, una parola incatenata all'altra, come facevano sua madre e le vecchie del paese.

Non sapendo cosa fare, Colnaghi uscì fuori dalla chiesa. Il caldo e il canto dei grilli lo avvolsero di nuovo. Fece due passi intorno e guardò la brutta fabbrica al limitare del porto, e poi il semicerchio del golfo, e il promontorio sbriciolato nel mare alla sua destra, e la luce lilla della sera. D'improvviso provò il solito senso di riconoscenza nei confronti della vita e della natura. Tutto passava in secondo piano. Tutto: i peccati, le indecisioni, le chiacchiere, Mirella che gli avrebbe detto ammiccando *Ehi, il Riva ti ha rapito!*, la fatica del lavoro, la paura, l'ansia di non riuscire a dare tutto l'amore di cui si sentiva responsabile. Respirò a fondo e aprì le braccia.

La mattina seguente si svegliò verso le nove. Aveva un lieve mal di stomaco e la tempia destra gli pulsava. Daniele era già sceso a guardare la televisione nella sala principale, e Mirella stava cambiando il pannolino a Giovanni.

Fece una doccia e si asciugò con un telo di cotone ruvido: puzzava lievemente d'aceto e aveva un buco e una macchia che non era venuta via. Quando uscì dal bagno trovò una camicia pulita stesa sul letto: si allacciò i polsini guardando nello specchio verticale della camera il suo corpo snello, da adolescente, e il volto rapidamente invecchiato: il contrasto lo colpì. Sempre nel riflesso, Mirella gli sorrise e gli venne vicino, lo abbracciò piano mentre Giovanni li guardava seduto sul letto.

«Oh, mi raccomando», disse.

«Cosa?», disse Colnaghi pulendosi gli occhiali con un lembo della camicia.

«Tutto. Una raccomandazione generale. Mangia, non farmi preoccupare, e tieni d'occhio tua madre».

«Sarà lei a tenere d'occhio me. Per il rientro allora passa tuo fratello?».

«Sì, fa un salto ad Alassio per lavoro a fine mese: dice che non c'è problema, spazio in auto ce n'è. Così non devi farti un altro viaggio da solo».

«Guarda che sono solo due ore».

«Lo so, ma hai sempre un sacco da fare».

«Appunto. Un po' di vacanza anche per me, no?».

Lei lo strinse un po' più forte. Colnaghi le carezzò i capelli con un gesto goffo, poi si girò e la baciò sulla fronte. Lei sorrise.

«Mi dispiace non vederti per venti giorni».

«Anche a me, ma passeranno in fretta».

Seduto sul letto, Giovanni continuava a guardarli senza un'espressione precisa. Colnaghi se ne accorse e lo prese in braccio affondando il naso nella sua guancia destra. Lo fece volteggiare in aria e ascoltò felice una sua risatina.

«Bene», disse poi, abbracciando sua moglie, stavolta fino in fondo. «Torno nell'amara Lombardia».

Lei sorrise e annuì.

«Ti voglio bene, Giacomo Colnaghi».

«Anch'io ti voglio bene, Mirella Legnani».

Nella sala dell'albergo, alla radio, girava *E invece no* di Bennato. Colnaghi sentì gli ultimi accordi morire strozzati mentre il proprietario cambiava la stazione alla ricerca di qualche notizia di un calciomercato ancora acerbo. Colnaghi si avvicinò a Daniele: in un odore immobile di sigarette e panni vecchi fissava un grande schermo sul quale un robot dagli occhi gialli e arrabbiati e la testa a forma di fusoliera combatteva contro alcuni mostri.

«Fai il bravo, va bene?», gli disse.

Daniele annuì in silenzio. I pugni del robot si erano staccati dalle sue braccia e avevano perforato lo stomaco di tre nemici in fila, come proiettili.

«Dani?».

«Papà, dai! Sto guardando Jeeg Robot!».

Colnaghi tacque e rimase a fissare il figlio. Sembrava molto concentrato. Poi sorrise, lo baciò sui capelli e glieli scombinò con la mano.

13

«Sei sempre qua?».

Colnaghi si voltò di scatto, alzando istintivamente le braccia per proteggersi. Le dita della mano destra strinsero troppo forte il biglietto, e per un istante credette di averlo strappato. Don Luciano lo guardava con le mani dietro la schiena, incuriosito.

«Mi hai fatto prendere un colpo!», disse Colnaghi ravviandosi i capelli.

«Nervi saldi, eh?».

«Vorrei vedere te».

Don Luciano rise piano. «Non volevo disturbarti, ad ogni modo».

«Non ti preoccupare». Colnaghi rimise il foglietto nel portafoglio – era integro, grazie a Dio – e diede un ultimo sguardo alla tomba del padre. «Ho fatto», disse.

Tornarono indietro camminando lentamente, senza più parlare. Fuori dal cimitero, don Luciano sbadigliò dando un'occhiata al cielo: qualche nuvola nera in corsa, l'aria fremente che precede i temporali estivi. Da qualche anno era tornato a Saronno, in una parrocchia di cascina, dopo avere servito in tre paesi diversi del bergamasco: e insieme a un prete più giovane era entrato a dare una mano a un centro per tossicodipendenti dalle parti di Cogliate. Colnaghi era felice di averlo di nuovo da quelle parti.

Un refolo d'aria attraversò lo spiazzo: i due si fissarono con l'aria di chi deve cominciare un discorso ma non sa da che parte prenderlo: l'attesa di qualche banalità che spezzasse il silenzio.

«Mi fa male lo stomaco», disse alla fine il prete, grattandosi la pancia gonfia. «Sarà il vento».

«Il vento? Ci sono trentacinque gradi, don».

«E che ti devo dire».

«Ma non la porti la pancera?».

«Ma va' a da' via i ciapp te e la pancera!».

Colnaghi rise: «Pensavo che i preti non potessero dire parolacce».

«I preti rispondono soltanto a Dio».

«Va bene, va bene. Che ci facevi al cimitero? Mi sono perso qualche funerale?».

«Visita privata. Anch'io ho i miei morti».

Colnaghi annuì.

«Come va la vita?», riprese don Luciano.

«Direi bene. Sono tornato poco fa dalla Liguria, ho accompagnato moglie e figli al mare».

«E bravo. A Milano?».

«Tutto come al solito. Si lavora. Faccio un sacco di sogni la notte».

«Ah, sì?».

«Vuoi che te ne racconti qualcuno?».

«Faccio il prete, mica lo psicologo».

«Ogni tanto sogno mia sorella», continuò, ignorandolo. «Ma non ha mai il suo viso. Ha sempre qualcosa di strano – a volte è bionda, a volte è troppo alta, a volte ha uno squarcio sul viso. Che ne dici?».

«E che devo dire? Mangia più leggero».

Colnaghi rise nuovamente. Camminarono in direzione della periferia, e dopo l'oratorio Regina Pacis imboccarono un sentiero che portava in mezzo a una macchia di robinie. Dovettero chinarsi per superare dei rami più folti e bassi degli altri, e poi si ritrovarono al margine di un campo di granturco, circondato da qualche ciuffo di grano matto. Il sole batteva diritto sulle spighe: molte pannocchie erano già aperte e dal guscio spaccato emergevano i chicchi, di un giallo violento.

«Guarda qua», disse Colnaghi.

«L'è propi bel, el furmentùn».

«Viene su che è una meraviglia, quest'anno».

Rimasero lì per un po' a guardare i campi. Le nuvole continuavano a correre e dopo un minuto il cielo si oscurò. Un tuono spezzò il silenzio.

«Ne arriva uno grosso», disse il prete guardando in alto.

«E non abbiamo manco l'ombrello».

«Meglio se torniamo indietro. Sei a piedi?».

«Sì».

«Anch'io».

«Due volponi», commentò Colnaghi.

Accelerarono il passo mentre il vento tirava più forte, e le prime gocce li colsero quando erano ancora lontani dal centro. Si ripararono sotto una grondaia. Il temporale crebbe d'intensità, la pioggia prese a battere l'asfalto liberando un odore marcio, e un lampo spaccò il cielo. Ora faceva freddo, ma nessuno dei due sembrava curarsene. Colnaghi si pulì gli occhiali ancora sporchi dalla pioggia con un lembo della camicia.

«La Lucia come sta?», chiese don Luciano dopo un minuto. «Non la vedo da un bel po'».

«Direi bene», alzò le spalle Colnaghi. «Continua a cucire maglioni».

«Ti occupi di lei, sì?».

«Ma certo, don. Ci mancherebbe».

«Ha sofferto davvero tanto, povera donna. E torni spesso a trovare el tò pà, sì?».

«Ogni volta che posso», rispose.

«Bravo, fioeu. Sei sempre stato il più sveglio fra tutti i ragazzi cui ho dato una mano». Lo fissò con un sorriso. «E pure tu hai sofferto tanto, eh?».

Colnaghi alzò nuovamente le spalle. Non aveva voglia di sentire quei discorsi. D'improvviso pensò al cimitero che si erano lasciati alle spalle. Pensò a quello che potevano gli esseri umani per ciò che gli esseri umani erano stati, buoni o cattivi che fossero: evitare il terribile destino per cui ogni profitto e ogni perdita, in fondo, si riducevano al nulla.

Di colpo dietro di loro si aprì una finestra: una vecchina mise il muso fuori e gridò: «Monsignore, ma cosa sta qui fuori a ciapà il frecc! Venga dentro!».

«Grazie, Michelina», disse lui, «ma fra poco smette, e poi dobbiamo andare in centro».

«Aspetti che chiedo a mio marito se può darvi un passaggio. Ha qua il furgone fermo a fa' nigott, almeno si dà una mossa».

«Non si disturbi», intervenne Colnaghi, ma don Luciano gli diede una gomitata. «Se un'anima in pena vuole dare una mano», sussurrò, «perché negarglielo?».

Colnaghi alzò gli occhi al cielo. Un tuono lo fece tremare.

Il marito della Michelina li lasciò vicino alla parrocchia di San Francesco, a temporale già finito. Colnaghi si divertì a camminare in mezzo alle pozzanghere lucenti, salutando qualche conoscente sorpreso dall'acqua come lui, e si godette il profumo ancora limpido dell'aria. Passò di fronte alla libreria di Mario e lo vide attraverso la vetrina, intento come ogni domenica a riordinare i volumi che poi avrebbe confuso di nuovo.

La porta tinnò.

«Eccolo qua», disse Mario alzando gli occhi.

«Ma tu sei sempre qui? Non ce l'hai una casa?».

«È questa, la mia casa».

Colnaghi si slacciò il colletto della camicia.

«Fa un caldo boia qui dentro. Dovresti usare un ventilatore».

«Ha appena piovuto».

«Sì, ma ha appena piovuto *fuori*. L'aria fresca non passa per i muri».

Mario chiuse il libro che stava leggendo e appoggiò una guancia sulla mano. «Sei venuto a scroccare qualcos'altro?».

«È solo una visita di cortesia».

«Allora aspetta, ne approfitto per darti io una cosa».

Lo portò nel retro. La libreria di Mario nascondeva uno stanzino, il suo *sancta sanctorum*: c'erano libri antichi, una lampada da scrivania in peltro, un posacenere di marmo verde e una Lettera 22 con un cappuccio di plastica. Un cane bianco sbucò da sotto il tavolo.

«Scodinzolone!», disse Colnaghi. Il cane gli venne incontro goffamente e iniziò a leccargli le mani. «Va' come sei magro! Il tuo padrone ti dà da mangiare abbastanza, o ti tocca fare la carità in giro?».

«Ti ha sempre voluto bene, quella bestia», commentò Mario.

«Perché tu lo tratti male. Guarda qui che pelo opaco».

Mario sbuffò. Da sotto una pila di libri rilegati estrasse un Einaudi con un graffio sul bordo. In copertina c'era un uomo togato con cappello nero, ritratto di profilo, e attorno un doppio riquadro giallo limone e viola scuro. Il titolo era *Diario di un giudice*.

«Dante Troisi», lesse Colnaghi, e fece cantare le pagine con il pollice.

«È un bel libro. È da un po' che te lo volevo regalare».

«Grazie».

«Non fargli fare la fine del Bernanos, eh».

«No, no. Grazie mille».

«Ah, già che ci sei», proseguì Mario.

«Sì».

«Sai che sto pensando di fare una mozione contro l'Ettore Renoldi, vero?».

Colnaghi alzò la testa: «Ovviamente no».

«Ti spiego. L'Ettore vuole costruire una sponda di destra all'interno della giunta».

«Mario, aspetta...».

«E va messo in minoranza. All'ultima riunione ne ho parlato con i miei e potrebbe essere l'occasione giusta per levarcelo dalle palle. Ho già raccolto un po' di gente che è d'accordo, ad esempio Luciano. Lucianone».

«Ma chi, Luciano Pini?».

«Lui».

«Luciano Pini, il figlio del barbiere, che fa il contabile alla Lazzaroni? Luciano Pini che all'università diceva di avere una ricetta segreta per fare un liquore migliore del Campari e aveva già disegnato l'etichetta, con su scritto *Il Pini – l'aperitivo senza confini*?».

«Ascolta...».

«Luciano Pini che, lo confesso, ha un repertorio di barzellette fenomenale, ma non ha mai aperto un giornale in vita sua? Quel Luciano Pini?».

«Senti, ti sto solo chiedendo una mano».

«A me».

«Sì, a te. Se tu ti decidessi a entrare nel partito, una buona volta, avrei un nome di peso al mio fianco».

«Adesso sono un "nome di peso"».

«Certo che lo sei! Finisci sui giornali, sei un magistrato che si occupa di terrorismo, in città la gente ti conosce e ti stima. Capisci quanto può significare? Una bella svegliata a tutta la sezione. Come abbiamo sempre voluto».

«Mi fa piacere sentirlo, ma sono almeno dieci anni che ho capito una cosa: la politica non fa per me. E sono almeno dieci anni che te lo ripeto».

«Non *devi* entrare in politica! Devi soltanto tesserarti e darmi il tuo sostegno. Due paroline per il tuo vecchio amico. Che ti costa? Ti sto chiedendo un favore, tutto qua».

Il cane abbaiò spostando lo sguardo dall'uno all'altro. Colnaghi si abbassò di nuovo a carezzarlo: «Sì, ciccio, sì. Lo so, il tuo padrone è un pirla, ma gli vogliamo bene comunque».

«Oh, Signur. D'accordo, ne riparliamo un'altra volta».

Mario spinse Colnaghi fuori dallo studio. Un ragazzino spiava la vetrina tenendo le mani appoggiate al vetro, come fosse un negozio di caramelle. I due amici lo guardarono sorridendo, finché lui non se ne accorse e scappò via. Colnaghi prese il libro e aprì la porta.

«Ricordati che fra poco compio gli anni», disse Mario.

«Figurati se mi scordo. Facciamo il solito giro in bici, ti va?».

«Perfetto».

Aprì la porta della libreria. La porta tinnò di nuovo. L'odore dell'asfalto umido li colpì in viso.

«Progetti per la settimana?», chiese.

«Ho una cosa stupida da fare», disse Colnaghi.

In strada, senza farsi vedere, strappavano gli annunci dei fascisti: ITALIANI! OPERAI! CITTADINI *di ogni ceto e di ogni idea politica! Il disordine provocato dai banditi sta prendendo in questi ultimi tempi maggior incremento. Uno faceva il palo all'angolo e un altro con una manata ne tirava giù due o tre: e via di corsa. Poi l'Ernesto – forse l'unico fra tutti – li leggeva comunque fino in fondo, coltivando il proprio disgusto. La gran parte degli annunci terminava minacciando la fucilazione degli ostaggi. Si ricordò di quello che diceva ogni tanto il Roveda: la paura va bene, è una roba che si impara a gestire, quello che però dovevano cacciarsi in testa era che lo spazio per i compromessi non esisteva più.*

Intanto in fabbrica le cose andavano peggio che mai. Distribuire i volantini era diventato impossibile, e come alzavi la testa dal tornio c'era qualcuno che ti fissava e con un cenno del mento ti invitava a chinarla di nuovo. Certo, era apparso un altro giornale, «Voci d'officina», e si parlava di un nuovo movimento, il Partito d'azione. Era qualcosa, ma solo qualcosa, e non sembrava bastare.

I nazisti non avevano pietà. Il nuovo regime era quello del terrore, delle punizioni casuali, delle perquisizioni casa per casa. Un giorno, entrando in un'osteria di via San Cristoforo, a due passi dal mercato delle bestie, l'Ernesto vide un soldato tedesco tenere fermo al tavolo un ragazzo, la rivoltella puntata sulla testa. Non lo conosceva, doveva venire da fuori, forse era un renitente in fuga: l'intera sala era paralizzata, come assorbita dal nero dell'arma.

Pochi istanti dopo l'Ernesto fu scansato con forza dall'uscio da un ufficiale delle SS. Era completamente ubriaco e si portava dietro un odore rancido di vino e piscio. Il ragazzo, seduto al tavolo con ancora la tazza davanti, non si muoveva. L'ufficiale e il soldato cominciarono a parlare in tedesco, a voce sempre più alta, finché il primo non gli tirò uno schiaffo. Il soldato abbandonò la posizione e cercò di difendersi, ma ricevette un altro schiaffo, e poi un pugno. Fu allora che il ragazzo si mosse: saltò in piedi facendo cadere la sedia e in un istante era già fuori. L'ufficiale si voltò e corse scomposto verso l'uscio, estrasse la rivoltella e sparò quattro colpi, uno dietro l'altro. L'Ernesto si portò le mani alla testa e gridò insieme a tutta l'osteria. Ma il ragazzo era riuscito a scappare dietro il primo angolo. L'ufficiale tirò un calcio a un tavolo, spaccò un bicchiere, sparò un ultimo colpo al soffitto. Di nuovo ci furono delle grida. Poi si calmò, prese il suo soldato per il collo e uscì.

L'Ernesto scappò via non appena sentì di avere ripreso il controllo sul proprio corpo. Corse per il paese trascinandosi dietro la gamba malandata che aveva ripreso a pulsare più che mai, senza sapere dove nascondersi, dove cercare riparo e soprattutto da cosa di preciso: il pericolo sembrava ovunque. A un certo punto vide il profilo della chiesa, si infilò *di corsa in sacrestia. Don Michele non c'era. Non c'era nemmeno il sacrestano. Rimase lì a rifiatare, a riprendere coscienza del suo corpo, nel buio umido di un androne, sotto un crocifisso.*

La primavera passò così. Le giornate di fine maggio furono come scolpite in una strana luce: l'Ernesto passava le sere e le notti a tramare, e di giorno – appena uscito dalla fabbrica – guardava rinfrancato il profilo delle Alpi all'orizzonte, la cima frastagliata del Resegone, e poi le strade e gli alberi e le saracinesche delle botteghe che chiudevano, e i vecchi radunati su una panca a parlare con le mani in grembo: fra gli odori dell'erba e dell'ombra, i bambini giocavano a rincorrersi scalzi all'ingresso di una corte.

Di notte poi ogni tanto si alzava a guardare i figli che dormivano l'uno di fianco all'altro: l'Angela con il broncio che aveva sempre e Giacomo con un filo di saliva che gli pendeva dal labbro: lui l'asciugava con due dita e gli carezzava la testa. A volte restava lì quasi fino all'alba, e usciva nel ballatoio e poi in corte a guardare il cielo farsi arancio, quasi incapace di reggere tutta quella bellezza esplosa di colpo: con lui solo il cane che aveva trovato randagio nei campi e adottato. Poi, mentre l'azzurro compariva, tornava lo sconforto all'idea della fabbrica, dei padroni, dei nazisti, del suocero, dei morti, di quello che il giorno portava con sé sulla schiena come una gerla.

Era così. La vita gli scoppiava fra le mani, nonostante le preoccupazioni: ebbro della stagione si godeva la bella moglie a passeggio dopo la messa, e quasi aveva un fremito

*a rimirarla ancora – una figurina a gambe nude stagliata
contro il muro, gemella di un'ombra sottile.*

*E allora in quei momenti, a volte, dopo averla stretta
forte da dietro fino a sentirla ridere e gridare, pregava che
giungesse dall'alto una più grande distruzione, uno schianto
più tremendo di tutte le armi dei partigiani e più luminoso
e vasto delle bombe che cadevano su Milano e sul nord e
sulla Germania tutta: un giudizio universale del Dio in
cui non credeva e a cui ogni sera veniva raccomandato
dalla Lucia: qualcosa di terribile e ingiusto che salvasse
unicamente loro e li lasciasse soli, loro due e l'Angela e
Giacomino, infine liberi e felici, padroni della propria
gioia fino al termine di quella guerra – di qualsiasi guerra.*

14

Non gli era del tutto chiaro cosa l'avesse spinto lì. Non gli fu chiaro quando il portiere gli spiegò come arrivare all'appartamento – terzo piano, prima porta a sinistra, e nemmeno quando la signora lo ebbe fatto accomodare in sala. *Un caffè? Una limonata? No, grazie, nessun distrurbo.* Colnaghi si guardò in giro e poi riconquistò il distacco che riteneva necessario.

«È stato gentile a venire», disse la vedova Vissani. Era bella come la ricordava, eppure anche irrimediabilmente segnata. Colnaghi pensò al modo in cui con l'età e i dolori emergono nuovi tratti del volto, come strati geologici resi alla luce dagli smottamenti.

Si accomodò sul divano in soggiorno. C'era un odore nauseante di caffè lasciato raffreddare in una tazza.

«Almeno un bicchiere d'acqua?», propose ancora lei.

«Sì, un po' d'acqua la prendo volentieri. Fa un caldo terribile».

«E c'è molta umidità, purtroppo».

Mentre lei andava in cucina Colnaghi si alzò di nuovo e fece un giro su se stesso. La casa era sommersa di arredamento, *era* puro arredamento: tre grandi orologi da muro e una pendola che non mandava tic-chettio: una serie di quadri accostati fra loro come tessere di un mosaico, fra cui uno firmato (si avvicinò) Fortunato Depero, in cui degli uomini ridotti a forme spigolose correvano sopra uno sfondo grigio: e ancora una teiera d'argento dal manico nero con cinque tazze a corredo, un cesto di vimini dove erano raccolte delle uova di pietra blu, rosse, gialle e bianche: un curioso soprammobile in forma di ingranaggio: e a terra, tappeti ovunque. Sembrava il catalogo inutil-mente prolisso di una qualche mostra, o il ripostiglio in cui erano stati stipati gli oggetti della mostra stessa. Si rifugiò vicino alla piccola libreria in ebano sull'angolo, di fianco al televisore, e spiò i libri del medico. Rimase basito nel trovare un autore che aveva letto da giovane, come sempre su consiglio di Mario: Nicola Chiaromonte. Lo prese in mano e lo sfogliò. Quando la signora tornò con l'acqua (un calice elegante sopra un piattino di metallo), gli disse che era suo.

«Legge di queste cose?», chiese Colnaghi.

«Lo facevo all'università, al primo anno. Poi ho pre-ferito il greco: mi sono laureata in Lettere classiche. Ora insegno a Pavia».

«Non lo sapevo».

Sorrise: «Ci mancherebbe. La sua acqua».

Colnaghi prese un sorso e tornò con lo sguardo al mobile: su una mensola, di fianco a una riproduzione della tour Eiffel e una brocca d'argento, c'era la statuetta di un santo nero che attirò la sua attenzione. Lei sembrò accorgersene: «San Calogero», disse, con un sorriso quasi di scusa. «I miei sono agrigentini. Quando c'è la festa si lancia il pane dalle finestre contro la processione. Dovrebbe vederlo, qui a Milano una cosa del genere sarebbe impensabile».

Colnaghi annuì soprappensiero. Il santo aveva un aspetto selvaggio, orribilmente pagano. Forse era stato il Concilio, forse era indole, chissà, ma il suo cattolicesimo aveva una piega luterana: per lui la questione era fra un Dio altissimo e imperscrutabile e l'uomo – niente vie di mezzo. Gli piaceva poco anche el Festun, la sagra del trasporto del Crocifisso per le strade di Saronno. E un santo nero non faceva che aggravare la questione.

Si riscosse, tornò a sedere sul divano a debita distanza dalla signora. Ora che era lì si rese conto di non avere molto da dire; aveva pensato che la sua presenza sarebbe bastata a rassicurarla, ma in quel momento gli parve un pensiero molto stupido.

«Come sta suo figlio?», domandò alla fine.

Lei sospirò.

«Non bene. L'hanno bocciato, purtroppo, ma è comprensibile. Del resto aveva brutti voti anche prima che succedesse». Guardò un punto fisso di fronte a sé. «Ora non c'è, è uscito. Non so dove vada, passa un sacco di tempo fuori con il figlio di mia sorella – che, glielo dico sinceramente, non mi è mai piaciuto. Frequenta pessime compagnie, e suo padre è un tizio manesco, uno che finisce sempre in qualche rissa. Be', tempo fa Luigi è rimasto fuori tutto il giorno con lui.

La sera mi ha telefonato dicendomi che era a una riunione. Non ha specificato di chi o di che cosa, ha detto solo che era una riunione. E quando torni?, gli ho chiesto. Non lo so, ha risposto lui: mi sto allenando. Così, ha detto. Ti stai allenando? E a fare cosa? E lui ha messo giù. Non so più cosa fare, dottore. Ho provato a sentire il nostro parroco, ma non lo ascolta. Non ascolta nessuno. Ha smesso anche di andare a messa. Non so davvero cosa fare, non vorrei si ficcasse in qualche guaio».

Colnaghi ricordò il giorno dell'incontro, e le parole del ragazzo. Tutti, tutti volevano vendetta. Sentì una goccia di sudore scendere lungo l'ascella destra e passò una mano sulla fronte.

La Vissani riprese: «Il fatto è che... Hanno ucciso mio marito, capisce?».

«Sì», disse Colnaghi.

«L'hanno ucciso davvero. Ma cos'ha fatto di male Aldo? Niente. Non ha messo nei guai nessuno, non ha mai rubato, niente. Capisce?».

Colnaghi tacque ancora. Capiva, certo. In un altro mondo e in un altro momento avrebbe potuto spiegarle con pazienza le cause probabili di quell'omicidio – il fatto, ad esempio, che Vissani fosse sospettato da tempo di voler scendere a patti con l'Msi: o che, come emergeva dagli atti, aveva contribuito a pagare l'avvocato per la scarcerazione di un sanbabilino (forse figlio di amici?). Ma a cosa sarebbe servito? E mentre loro erano ancora vivi – erano ancora vivi! – la storia proseguiva e macinava altri uomini. Colnaghi poteva tenerne il conto e lo faceva, per non perdere mai la presa e la concentrazione sul suo lavoro; ma diventava sempre più difficile coltivare un minimo di distacco. *Era quasi finita.* No, non era finita: non finiva mai.

«Stiamo facendo tutto il possibile», provò a dire. «Giusto negli ultimi giorni abbiamo fatto un grosso passo avanti nelle indagini: prenderemo l'assassino di suo marito, si fidi di me».

«Certo», disse lei incolore. «Mi fido».

Dall'appartamento di sotto arrivò un gridolino felice e poi una risata: voci di giovani, forse una coppia che si era appena trasferita in quel bel quartiere. Una mosca cominciò a ronzare di fronte a loro.

«La cosa che mi fa più male», riprese lei, «è quando mi dicono che devo smetterla di fare la vittima. Lei non sa cos'ho sentito. Non sa quanto può essere crudele la gente».

«Lo so bene», disse Colnaghi.

«Sì, certo, non intendevo...».

«No, mi scusi. Non volevo esprimermi così».

Si sorrisero goffamente, stancamente.

«Ricordo bene una cosa», disse lei. «Il giorno dopo l'omicidio di Aldo – no, anzi: il giorno stesso, un giornalista ha cercato di intervistarmi. Io non sapevo cosa dire, capisce, ero completamente fuori di me: gli ho chiesto di lasciarmi stare. Lui mi ha domandato se perdonavo gli assassini. Capisce?».

Colnaghi scosse la testa. La mosca si era posata sul suo ginocchio: la fissò sfregare le zampe.

«Cosa può spingere un uomo a fare una domanda del genere? Perdonare? Ma perdonare cosa, chi? E in quel momento, poi!». Fece un lungo sospiro, e per un attimo Colnaghi pensò che avrebbe pianto: ma non pianse; si limitò a stringere i denti. «È che non passa. Il dolore, voglio dire. Dalle mie parti si dice che il tempo è galantuomo, ma non ci ho mai creduto». Deglutì. «Io non sono abituata a cavarmela da sola, dottore. E gli amici di mio marito, i politici... Puff. Spariti tutti. Bella gente, vero?».

Colnaghi piegò la testa di lato. Come gli era già successo, di fronte a una sofferenza così sorda, pensò che la giustizia doveva compiersi innanzitutto a un livello intimo: ma per quanto vasti fossero i poteri a disposizione di un uomo per rimettere un torto, non erano mai davvero all'altezza del dolore. Se c'era una cosa che il suo mestiere gli aveva insegnato negli anni, è che aveva dei limiti evidenti – e anche per questo, si disse, anche per questo non potrei nulla senza credere in Dio.

«Mi dispiace», ripeté ancora.

«Non deve dispiacersi».

Oh, perché era andato lì? Perché soltanto lì e non da tutti gli altri, da tutte le altre famiglie delle vittime, di qualsiasi vittima? E lei era talmente bella. Provò l'impulso di accarezzarla, ma si ritrasse in tempo. Restarono ancora qualche istante in silenzio, in imbarazzo: il tempo della conversazione era finito. Camminando verso la porta, Colnaghi gettò un ultimo sguardo alla statua di san Calogero.

Sulla soglia, la vedova gli strinse forte un braccio – un gesto che imbarazzò entrambi – e poi ritirò subito la mano: «Grazie», disse. «Lei è il primo che si interessa davvero a come stiamo. Non lo ha fatto nessuno».

«Ma non ho fatto nulla», disse Colnaghi.

«Ha fatto qualcosa», rispose lei.

15

Alzò gli occhi dalle carte soltanto dopo mezzogiorno, quando ormai Mirella e i bambini dovevano essere tornati dalla spiaggia. Provò a telefonare in albergo, ma il gestore gli disse che erano ancora fuori. Allora aprì la finestra e si sporse a guardare il cielo nel pomeriggio estivo: un panno percorso da venature azzurrognole, qualche imperfezione nell'uniformità della cappa. Solo più lontano, appesa sopra i quartieri a sud della città, la distesa si apriva di colpo lasciando intravedere una colonna di luce trasparente.

Richiamò un quarto d'ora dopo, e stavolta trovò sua moglie.

Tutto procedeva tranquillo. Giovanni si era scottato un pochino, ed erano stati dal medico locale: niente di grave, era sufficiente una pomata. Daniele si annoiava, guardava troppa televisione e passava molto tempo da solo, ma le aveva promesso che avrebbe cominciato a cercarsi nuovi amici.

«Riesci a venire il prossimo fine settimana?», disse, con una nota di preoccupazione nella voce.

«Non credo... Purtroppo sono sommerso dal lavoro, e mi spiace lasciare mia madre da sola. C'è qualcosa che non va?».

«Ma no», disse Mirella.

«Mi spiace davvero».

«Lo so, Giacomo».

«Poi domenica prossima – non questa, quella dopo – è il compleanno di Mario. Gli ho promesso che saremmo andati in bici insieme».

«D'accordo».

«Comunque ad agosto finalmente ho le ferie, e se tuo fratello è ancora disposto a lasciarci la casa a Bormio...».

«Sì, ha detto che non ci sono problemi».

«Sia lodato il cielo. Ho davvero bisogno di una vacanza».

«Lì come vanno le cose?».

Colnaghi si guardò intorno. La grande mappa al muro con i nomi e i dettagli delle indagini, il ventilatore che andava, la pila di pratiche e appunti che si alzava sulla scrivania. In un angolo, nascosto per evitare sguardi indiscreti, c'era il libro sui Tupamaros che aveva preso da Mario, e di fianco il *Diario di un giudice*.

«Direi come al solito», sorrise.

Tornato a casa lavorò ancora per un'ora, ma senza riuscire a concentrarsi. Prese la cuccumella che gli aveva regalato Micillo e la caricò. Mentre aspettava che l'acqua bollisse, guardando fuori dalla finestra della cucina il muro del palazzo di fronte, pensò ancora una volta ai suoi nemici. Chiusi nelle loro stanze a coltivare il proprio odio: chiuso lui nella stanza, chiusi i colleghi a Palazzo: ma quale gioia era allora uscire di colpo e camminare nei campi poco fuori casa, in provincia, e sentire l'odore del fieno tagliato o di una pioggia improvvisa: scivolare sopra il fango fresco, strappare la gramigna dai campi, passare oltre i terrapieni e piccoli ponti che tagliavano un canale o i torrenti, le groane punteggiate di funghi in autunno e gli spazi caldi e assolati d'estate. Il mondo per ciò che era gli pareva senz'altro meritevole di rabbia e compassione, ma mai di odio. E quale rivoluzione poteva giungere dall'odio?

Il caffè era pronto, e Colnaghi sentì di dover obbedire a quell'impulso. Lo bevve in fretta, poi uscì e camminò nel vuoto polveroso della periferia. Il cielo era color cenere ma stava infine per tingersi di un rosa debole. Guardò le case popolari, gli slarghi improvvisi fra i binari, la sagoma dentellata di un enorme palazzo arancio all'orizzonte, e le zone che furono bombardate e ora abitate dai poveri si confondevano, ai suoi occhi, come un'unica gamma di ferite che la sua terra aveva ricevuto: un monumento involontario al dolore.

Piegò verso il centro e sbucò in piazza Durante, imboccò viale Lombardia e decise di cenare in un circolo ARCI che teneva d'occhio da tempo, il Fiocchi. Sedette a un tavolino vicino all'ingresso, già apparecchiato. Un gruppo di pensionati stava litigando nella sala più grande di fronte a una manciata di bicchieri: alle loro spalle una signora con la fisarmonica li osservava incuriosita, e ogni tanto lanciava qualche scarica di note a basso volume. Mentre aspettava il suo piatto di pasta in bianco, Colnaghi lesse il *Diario di un giudice*, che aveva portato con sé. Chiese una penna alla barista e sottolineò un paio di frasi. L'inchiostro verde della Bic stava bene sulla carta del libro. Continuò a leggerlo anche mentre bucava le penne al dente con la forchetta.

Quando uscì il tramonto aveva addolcito la luce della strada; sotto gli alberi del viale si stava bene. Tornò lentamente verso via Casoretto, e trovò un gatto rosso e panciuto ad aspettarlo davanti alla porta di casa.

«Ciao, micio», disse Colnaghi. Il gatto sembrò ignorarlo: si scostò per farlo entrare e poi attese fermo sulle zampe posteriori, con aria compita.

«Be'?», sorrise lui, infilando la chiave nella toppa. Ma la chiave non girò.

La porta era aperta.

Colnaghi restò paralizzato.

Era aperta.

Tutti i pensieri peggiori degli ultimi mesi si materializzarono mentre lasciava che i cardini girassero, immobile, incapace di reagire. Si aspettava di vedere di fronte a sé la casa in disordine, o una pistola uscire dall'ombra del minuscolo corridoio, e invece dalla sua stanza sbucò la vecchia che una volta a settimana gli faceva le pulizie. Colnaghi sentì il sangue defluire e si appoggiò con un braccio allo stipite.

«Mi scusi!», gridò lei. «Mi scusi, ho lasciato qua la borsa!». La sollevò per mostrarla, poi si piegò con la schiena e giunse le mani: «Le giuro, non ho preso niente! Non sono una ladra!».

«Va bene, signora Luciani, non ha importanza...».

«Oh Signur, adesso lei mi licenzia. Mi licenzia».

«Signora Luciani, non ho alcuna intenzione di licenziarla. È tornata a prendersi la borsa, l'aveva dimenticata stamattina, va bene. Ho capito».

Lei insistette ancora per qualche minuto, finché si convinse che il dottore le credeva davvero; quindi se ne andò. Colnaghi aveva i nervi a pezzi. Cercò di fumare la pipa ma gli tremavano le mani. Allora scese in cortile, prese la bicicletta e puntò verso ovest: ma dopo trecento metri sentì un botto e dovette frenare di colpo: la ruota dietro si era bucata.

Sulle prime la sbatté contro il marciapiede, imprecando. Non poteva essere vero. Poi cominciò a ridere da solo e tornò a casa. In cucina trovò una bacinella di plastica blu, la riempì d'acqua, e scese di nuovo. Tolse il copertone ed estrasse la camera d'aria, che bagnò nella bacinella: continuò a farla girare fra le mani, premendo, finché nell'acqua non apparve qualche bollicina. Aveva trovato il foro.

Attaccata al sellino c'era una borsetta di finta pelle con gli attrezzi necessari: con la mano destra, mentre con la sinistra teneva il segno del foro, pescò una toppa e il tubetto del mastice. Asciugò la camera d'aria e incollò la toppa: poi la infilò di nuovo nel copertone, prese la pompa condominiale legata con una catena sotto l'acquaio della corte, e cominciò a gonfiare. Alla fine si sfregò soddisfatto le mani nere. Il buon umore era tornato: quanti suoi colleghi sarebbero stati capaci di ripararsi una gomma?

Per chiudere infine la giornata tornò al bar, benché non fosse mercoledì. Ascoltò con pazienza il monologo di un ubriaco sulla cinquantina che continuava a torcersi i baffi parlando di un vecchio musicista slavo che aveva conosciuto una volta: poi si ingarbugliò in un breve litigio con un milanista che si vantava del ritorno in serie A quasi fosse una coppa europea, e rincarava: «L'anno prossimo vi rompiamo le ossa, una per una! Altro che Altobelli e Prohaska dei miei coglioni!». Ma Ferri il tranviere non c'era, e il pittore non aveva nessun quadro nuovo con sé: Colnaghi si stancò in fretta. Uscendo camminò ancora un po' nel crepuscolo, lungo la ferrovia, e si fermò soltanto all'incrocio che sbucava in piazza Sire Raul, arrestandosi di colpo come se il mondo fosse terminato insieme alla strada.

Quella notte sognò la croce. Era bella e robusta come nei quadri del Trecento, blocchi di legno levigati, e vuota, luminosa, la croce di Cimabue e Giotto senza Cristi dolenti sopra. Colnaghi osservava la scena come librato in aria, perpendicolare all'altezza del Golgota ma distante una decina di metri. Si accorse che sulla cima del legno era sbocciato un fiore rosso carminio, e questo gli sembrò stupendo e terribile insieme. Appena sveglio, dimenticò subito il sogno.

Le riunioni nella cantina del bar continuarono per qualche tempo, poi l'Egidio decise di interromperle e di ricominciare a vedersi nei boschi: aveva perlustrato la zona e gli pareva sicura. Una domenica più calda delle altre – era ormai estate – disse che il loro gruppo doveva cambiare pelle. Era tornato a Milano e aveva parlato con due capi del Partito: dovevano entrare a far parte ufficialmente di quella che era un'organizzazione più ampia. Ne avevano sentito parlare di sicuro, no? Erano le Brigate Garibaldi. In quella zona il CLN e il Comando generale mancavano di operatori: si trattava di una fascia di territorio importante, e non potevano limitarsi ad agire così, un po' fuori dai ranghi e un po' dentro.

«Pensate a noi e ai tanti altri gruppi qui intorno», disse il Roveda. «In Piemonte, nella bassa, sulle Alpi. Siamo come tanti fuochi sparsi. Il sistema delle Garibaldi vuole semplicemente riunirli. Piantare dei collegamenti e tirare su un incendio pazzesco, un incendio che spazzi via i tedeschi per sempre».

Sarebbe stato come prima, solo meglio. Va bene? Va bene. Un giro di occhi. Uno schiocco del legno del casolare, qualcuno si alzò, niente di grave, tornarono a sedersi. L'odore secco, la paura.

«*Adesso vi dovete trovare un nome*», disse il Roveda.

«*Un nome?*», domandò qualcuno.

«*Sì. Vi dovete trovare un nome segreto, di battaglia. D'ora in poi ci chiameremo così, e fine. Io sarò Ulisse. Qualcuno di voi sa chi è Ulisse?*».

Silenzio.

«*Ulisse. Dai. Davvero non lo sa nessuno?*».

«*Uno della Bibbia?*», provò il figlio del Clerici.

«*Uno della Bibbia*», scosse la testa l'Egidio. «*Ma mì ta cùpi. Ta casci un quadrèll in dal cü*».

«*Egidio, scusa, non ho studiato! L'è minga da dì che...*».

«*Ulisse!*» gridò lui. «*Quello dell'Odissea! L'eroe! Quello del ciclope, della maga Circe e dei maiali! Dèm!*».

Qualcuno scosse la testa. Qualcun altro alzò le spalle, la bocca una smorfia. Il Roveda li percorse con uno sguardo e poi sospirò.

«*Va bene. Va bene, lasciamo perdere. Ricordatevi solo il nome: Ulisse. D'accordo? E ora avanti, vi lascio due minuti e poi tocca a voi. Ce li diciamo in faccia una volta per tutte, pensate a uno che ricordate, e va ben inscì*».

Una scarica di adrenalina percorse l'intero casolare. Un nome, si ripeté Ernesto Colnaghi: era come se avesse di nuovo la possibilità di nascere. Di ricominciare tutto da capo, evitare gli sbagli, non finire in quella corte di merda, portarsi via la Lucia e vedere Milano, magari, o anche la Parigi di cui parlava l'Egidio. D'un tratto tutte le parole che sapeva gli si affollarono in testa. Doveva essere un buon nome. Severo, giusto, solitario, coraggioso: ma anche un po' come lui – un po' bislacco, un po' da matto.

I primi cominciarono. Il Pagani disse che lui voleva essere chiamato semplicemente Pagani, e l'Egidio gli tirò un coppino: allora, sempre più cupo, buttò lì: «Spillo». E Spillo fu. Poi toccò al René, al figlio del Clerici, al Gaìna, al Peppe Colmegna, al nipote del Bossi, e infine arrivò il suo turno: «Colnaghi?», chiese l'Egidio.

«Beppo», rispose pronto.

«Beppo?».

«Beppo», ripeté.

«Va bene. Chi manca?».

Nel giro di mezz'ora, al posto di una manciata di ragazzi, c'era un manipolo di nuovi nomi e di nuovi uomini: o almeno così sembrava, ma certo non poteva essere tanto facile. L'Ernesto non era uno stupido, e sapeva bene che fra loro c'erano ragazzi di cui forse non poteva fidarsi del tutto, e che quel giuramento non avrebbe mai reso amici; alcuni gli stavano antipatici, ad altri stava antipatico lui; uno o due poi avevano proprio la faccia dei vili, pronti a scappare al primo pericolo vero. E forse nemmeno lui sarebbe arrivato fino in fondo.

Si spartirono un po' di carne secca che il Renato prendeva alla borsa nera oltre Rho, e fecero girare un fiasco di barbera. Nessuno parlava. Sul gruppo era calata un'atmosfera strana, non priva di solennità ma a modo suo circospetta.

«Compagni», disse alla fine l'Egidio. «Ora siete anche voi nella brigata Carlo Franchi, la numero cento ottanta e tre. Non siete i soli, nemmeno qui in paese. Ricordatevelo

sempre: stiamo lavorando per liberare l'Italia. Non è un gioco e non è uno scherzo. Va bene?».

«Va bene», dissero tutti. E quella fu la loro investitura.

Quando uscirono, il sole era quasi tramontato e bisognava fare in fretta. L'Ernesto portò una mano sopra la fronte e guardò i ragazzi sparpagliarsi nel granturco, verso il paese e oltre.

Il Pagani lo prese per una spalla.

«Che nome de l'ostia l'è, "Beppo"?», gli domandò.

«Il nome del mio cane», disse l'Ernesto. «Una bestiaccia».

16

Il sabato seguente Colnaghi tornò a Saronno più tardi del solito: per tutta la mattina si era cullato in un umore cupo, lavorando in mutande e canottiera al tavolino di legno che aveva in camera. Di Gianni Meraviglia ancora nessuna traccia. Il primo indirizzo fornito dalla Berti si era rivelato un appartamento vuoto dove i poliziotti avevano trovato una macchina da scrivere con un foglio immacolato nel rullo, due pistole, qualche manifesto, alcuni abiti maschili e uno spazzolino da denti. Se Meraviglia era stato lì, era riuscito a scappare in tempo.

Provò dunque una profonda, inattesa gratitudine davanti al treno deserto che prese da piazzale Cadorna verso la mezza. Nel suo vagone c'era solo una coppia di pensionati che si teneva garbatamente per mano, e un ragazzo con la borsa abbandonata fra i piedi. E di quale ruvida bellezza si rivelò l'hinterland che lo separava dal luogo dov'era nato: i primi campi, le fabbriche della Bovisa, e quindi il resto. Fu una variante edulcorata dei tanti viaggi da pendolare che aveva fatto – il treno del rientro nelle splendide serate di aprile e maggio, e il treno dell'alba nelle mattine fumose e gelide d'inverno, con la neve rappresa ai lati dei binari, e i corpi degli impiegati stravolti e i continui ritardi (e la gente che pigiata sulle carrozze troppo riscaldate giocava a carte usando una borsa come tavolino): o a volte, le pause impreviste poco dopo Quarto Oggiaro, quando il treno si arenava come un cetaceo, per colpa di scambi o lavori in corso, e dai vagoni abbandonati lui poteva vedere un orizzonte solcato da pennacchi di fumo grigio, e i cieli d'ardesia della periferia. La sua terra. Una terra di ferrovie.

Si immerse nel libro di Dante Troisi per tutto il viaggio. All'edicola della stazione comprò come al solito «Topolino» – il negoziante non poteva sapere che suo figlio era al mare – e lesse la storia d'apertura su una panchina, sghignazzando un paio di volte. Quando ebbe finito proseguì con un giro largo nel centro della città, avvicinandosi senza fretta verso casa. C'era un vento inatteso che rendeva la giornata ancora più bella, diversa dalla solita conca d'afa: ma faceva lo stesso molto caldo.

Sua madre stava pulendo la cucina. Le diede un bacio sulla guancia; lei fermò un attimo il movimento circolare della spugna, poi ricominciò.

«Hai già mangiato?», chiese.

«Sì», mentì Colnaghi.

«Non vuoi una pasta?».

«Sono a posto, grazie».

«Una bistecchina? Ci metto un attimo».

«No, davvero», ripeté lui, e si mise a guardare dalla porta-finestra. La luce del pomeriggio si spargeva nel giardinetto dietro casa, sui fiori e le piante e l'albicocco della Mirella, sopra i giochi dei bambini abbandonati e già un po' scoloriti: più in alto, al terzo piano del palazzo di fronte, due ragazzi si passavano una sigaretta in silenzio.

«Va' che ora mi devi portare alla Caritas», disse sua madre, sciacquandosi le mani sotto il rubinetto. «Già che sei qua, ne approfitto».

«Va bene», disse Colnaghi.

«Alla Caritas, e dopo in corte dagli zii».

«A fare che?».

«Devo prendere il veleno per le formiche».

«Formiche?».

Lei gli indicò una breve linea nera in movimento di fianco al calorifero. Colnaghi si avvicinò e scosse la testa: «Ecco. Ci mancava pure questa».

«Col veleno van via in un attimo».

«Ma perché andare dagli zii? Non possiamo comprarlo?».

«Il Carlo ne ha un quintale. È inutile spendere soldi».

«Io non entro, però».

«Fa' cumé te voeret».

Salirono sulla Ritmo e attraversarono la cittadina deserta. Colnaghi sudava, mentre la madre fissava immobile la strada con il pugno stretto attorno alla maniglia sopra il finestrino. In grembo aveva un pacchetto di carta dove aveva messo qualche vestito da regalare ai poveri. Ogni tanto Colnaghi la guardava. Si era costruita quella vita così quadrata, così severa, al punto che pure al netto del ricordo e della mancanza (che ancora perduravano come rocce nude nel suo paesaggio interiore), se l'Ernesto fosse tornato dal mondo dei morti, lei avrebbe urlato dal dolore.

Parcheggiò di fronte alla Caritas e scese con lei tenendola a braccetto. Qualcuno aveva appeso ai cancelli del palazzo un nastro rosso: nel vento improvviso di quella giornata, si agitava come una biscia contro il cielo azzurro.

Lasciarono il pacco dei vestiti a una volontaria. La madre di Colnaghi fece due chiacchiere con una suora che aveva tenuto Giacomo all'asilo: «Non ti ricordi?», continuava a dire. Ma lui non ricordava proprio.

Tornare in corte fu faticoso. Colnaghi aveva giurato a se stesso di non rimetterci più piede dopo avere comprato la casa dove ora vivevano. Il giuramento non riguardava la madre, ma aveva pregato anche Mirella di evitare qualsiasi contatto con ciò che restava della famiglia. Mentre aspettava uscì dall'auto e si sedette sul bordo del marciapiede a guardare nuovi ragazzi che crescevano rompendosi le ginocchia sulla ghiaia e sul cemento. Giocavano a *undici* contro il muro, con un pallone bianco e la stessa porta disegnata con tre righe di vernice con la quale aveva giocato lui: si poteva segnare solo passandosi e tirando al volo la palla, ma ad ogni parata si perdeva un punto e si entrava in porta a propria volta.

Alla finestrella di fronte apparve il volto di Enzo, uno dei suoi cugini, uno dei peggiori: disoccupato da tempo, aveva cominciato a giocare d'azzardo in Svizzera, con certi tizi di Novara, e aveva un sacco di debiti.

«Non vieni dentro?», gli gridò con un brutto sorriso.

«Non credo sia il caso», disse Colnaghi.

«Guarda che l'avete decisa voi, questa cosa che ci stiamo sulle palle a vicenda».

«Sai benissimo che non è così».

Suo cugino scosse la testa disgustato e chiuse la finestra. Un ragazzino si coordinò e fece una bella rovesciata, ma il portiere agguantò la palla in tempo: lui si rialzò borbottando un *cazzo* dietro l'altro e pulendosi la schiena dalla polvere. In quel momento la madre tornò con una bottiglia senza etichetta.

«Allora?», chiese Colnaghi.

«Tutto a posto. Qui c'è il veleno». Sollevò la bottiglia.

«C'è stato spargimento di sangue?».

«Ma mùchela. Ora dobbiamo andare dal fornaio».

«Comandi», disse Colnaghi. Salirono di nuovo in auto. Durante il breve tragitto passarono di fronte alla chiesa: lei si fece il segno della croce tre volte mormorando un'Ave Maria – un gesto che Colnaghi trovò un po' eccessivo. La sofferenza aveva reso sua madre ancora più vigile e devota, eppure anche più lucida e intelligente. Benché l'avesse cresciuto nel più severo timore di Dio, non aveva nulla da spartire con le altre bigotte del paese.

Forse, semplicemente, lui e la Lucia avevano visioni opposte di cosa fosse il peccato. Per la Lucia occorreva vivere nel terrore preventivo della dannazione (e la *sua vita*, non ne era stata una scioccante anticipazione, una chiara minaccia?), mentre a Colnaghi tutto ciò puzzava di superstizione.

Entrò dal fornaio e su sua richiesta scelse il pane per la sera: due michette e un pezzetto di focaccia con le cipolle che lo attirava. Uscendo lei gli domandò: «Ti sei già scusato, quest'anno?».

«Come?».

«La Grande Giornata. L'hai già fatta o no?».

«Ah. Non ancora. Sono stato piuttosto bravino, non ti pare?».

«L'è mej sa parli nò, guarda».

Colnaghi sbuffò sorridendo. Una volta all'anno, la Lucia imponeva a sé e ai figli quella che chiamava «la Grande Giornata delle Scuse». Era una tradizione che aveva inaugurato quando erano bambini: occorreva ricordare tutti i propri errori, le proprie colpe, i fastidi anche in apparenza più ridicoli che si erano provocati – e chiedere perdono: se possibile ai diretti interessati, e comunque a Dio. Non doveva essere un gesto automatico e banale, come certe confessioni dette in fretta a don Luciano: bensì – su questo la Lucia insisteva fino allo sfinimento – scuse oneste e uno spirito contrito. Il giorno cadeva tendenzialmente nel tardo autunno, in occasione della Novena: ma non era una regola, e in ogni caso dipendeva solo dalla percezione che la madre aveva di quell'anno: dalla quantità di colpe apparenti o reali che lo avevano segnato. (Quando Colnaghi scappò di casa con Mario, nell'aprile 1956, dopo l'ennesimo litigio con il nonno, la Grande Giornata arrivò quasi subito e fu molto tormentata).

Con Giacomo e Angela adulti, la Lucia aveva smesso di imporlo ma non di ricordarlo. La sorella di Colnaghi lo stava trasmettendo anche a sua figlia, con scarsi ri-sultati: lui invece si era limitato a tenerlo per sé. Non l'avrebbe mai ammesso direttamente, ma a differenza di Angela – che seguiva il precetto con entusiasmo solo per ingraziarsi la madre – con il tempo la Grande Giornata delle Scuse aveva cominciato a piacergli.

A casa passò il pomeriggio a studiare le carte che si era portato. Verso le cinque telefonò alla Franz per avere aggiornamenti: lei rispose che stavano procedendo con la catalogazione di quanto rinvenuto – i manifesti con la firma Formazione proletaria combattente pro-vavano fuori di dubbio che la pista era corretta – ma la polizia non aveva ancora deciso quando fare irruzione al secondo indirizzo segnalato. Colnaghi non era d'ac-cordo nell'attendere così a lungo, ma non fece obiezioni: riappese, e quindi chiamò Roberto Doni al numero dell'ufficio. Rispose dopo nemmeno uno squillo.

«Roberto, sono Giacomo».

«Ohi! Non mi sono dimenticato di te, giuro. Anzi, stavo per chiamarti».

«Come no».

«Davvero. Arrivo a Milano mercoledì prossimo. Se per te va bene possiamo cenare insieme giovedì».

«Direi che è perfetto. Dove andiamo?».

«Visto che non volevo lasciare la cosa in mano a te, mi sono informato con dei vecchi amici. C'è una trat-toria dietro il naviglio pavese, se per te va bene. Non è lontana dal centro. Si chiama el Barbìss».

«Barbìss? Il nome mi piace».

«Un postaccio vecchio stile. Non ti deluderà».

Colnaghi annotò l'indirizzo sull'agenda. Poi si versò un bicchiere di vino bianco e lo bevve seduto sul divano, mentre al telegiornale raccontavano ancora delle sei bombe esplose a Como a firma «Brigate operaie per il comunismo»: era un avvertimento contro la costruzione di un nuovo carcere. Era morto un brigadiere, Luigi Carluccio. Colnaghi spense la televisione e chiuse gli occhi. La madre lo chiamò. La cena era pronta.

17

Il telefono lo buttò giù dal letto verso le due di notte. Era già successo: che lui fosse a casa nel fine settimana e che lo chiamassero – un fermo, un problema, qualcosa che richiedeva la sua presenza. Si alzò per rispondere. Era la Franz: avevano arrestato Meraviglia dalle parti del Giambellino, al secondo indirizzo fornito dalla Berti; la polizia aveva fatto irruzione due ore prima e finalmente l'avevano trovato. Colnaghi sentì ogni residuo di sonno scomparire e fu invaso da una gioia simile all'estasi.

«Ho provato a chiamare anche Micillo, ma è fuori città».

«Vengo subito», disse Colnaghi.

«Sei sicuro?».

«Vengo subito», ripeté. «Subito».

Riappese e corse in camera a cambiarsi, ricostruendo mentalmente la mappa che teneva in ufficio e calcolando il valore di una cattura del genere, non solo per quanto riguardava la sua inchiesta – formalmente, era un colpo da KO –, ma per l'intera lotta al terrorismo milanese. Quando scese, sua madre lo stava guardando attraverso gli occhi incrostati di sonno: con una mano si difendeva dalla luce del corridoio.

«Ta devat andà?», chiese.

«Eh, sì».

«Ci sono stati morti?».

«No, no. Un arresto. Roba grossa, mamma».

Lei sospirò e non disse altro. Colnaghi raccolse le chiavi dal ripiano sopra il calorifero.

«Vado e torno», disse.

«Sì».

La baciò sulla fronte e la strinse piano a sé, quindi si separò da lei.

«Ci vediamo per colazione al più tardi, va bene?».

«Va bene».

Fuori l'aria era fresca, ma come di grana grossa: si poteva mangiare. Colnaghi la buttò in gola dal finestrino aperto, mentre guidava verso Milano. Quando uscì dall'autostrada ed entrò in città, i profili dei palazzi in zona Certosa gli parvero torrioni di un medioevo mai terminato. Proseguì per i viali deserti, i semafori lampeggianti, la notte calda e silenziosa.

Parcheggiò la Ritmo nel cortile. I fari illuminarono il maresciallo – Picone, un siciliano dall'aria truce – e la Franz, entrambi fuori a prendere aria sulle scale: alzarono un braccio.

«Come andiamo, dottore?», sorrise il maresciallo.

«Ora benissimo, direi».

«Lo immagino».

«Finalmente l'abbiamo preso», disse la Franz.

«Che tipo è?», chiese.

Picone alzò le spalle: «Mah. Giovane, sveglio. Ha la

faccia furba. Non so, dottore. Per me e i miei ragazzi, quelli tutte bestie sono».

«Ha detto già qualcosa?».

«*Mi dichiaro prigioniero politico*», sorrise schifata la Franz.

«Altro?».

«Qualcosa», disse Picone. «Non grida, non insulta. I peggiori, sono, quelli che non insultano: non sai mai che minchia gli passa per la testa, con rispetto parlando». Tossì forte. «Le ginocchia, bisogna spezzargli. Figli di puttana».

«Va bene. Sentiamolo un po'».

Entrarono in una sala spoglia – un tavolo, tre sedie, un attaccapanni, il ronzio del neon. La finestra era aperta e ritagliava un pezzo della notte. Il difensore d'ufficio e il segretario della Franz spensero le sigarette contro il davanzale, vedendoli entrare. Due poliziotti scattarono sull'attenti e salutarono i magistrati. Al tavolo, seduto e ammanettato, c'era un giovane sulla trentina: capelli corti, maglione rosso scuro, barba sfatta.

«Buonasera», disse Colnaghi, sedendosi di fronte a lui. Il maresciallo uscì. La Franz non salutò.

«Buonasera», disse il ragazzo.

Colnaghi lo fissò. Aveva gli occhi infossati e il pallore di chi è rimasto a lungo al chiuso, cercando di non farsi trovare. Ne vedeva tutti i tic, tutti i dettagli: le labbra che tremavano a scatti, i piedi che battevano ogni tanto a terra: e il tentativo di mascherarli per darsi un contegno. Lo sguardo era carico del solito disprezzo.

186

Colnaghi estrasse dalla borsa un taccuino e lo aprì di fronte a sé, stirandolo con il pugno chiuso.

Dopo aver fatto togliere le manette al ragazzo, la Franz iniziò ad alta voce con le formule preliminari, perché il segretario, seduto alla macchina da scrivere, annotasse le risposte. Il difensore d'ufficio taceva. Colnaghi conosceva il modulo a memoria. Tolse il cappuccio alla stilografica.

«Nome e cognome», chiese la Franz.

«L'ho già detto».

«Nome e cognome», ripeté.

«Gianni Meraviglia», disse in tono neutro il ragazzo. «Formazione proletaria combattente. Nome di battaglia, Riccardo. Mi dichiaro prigioniero politico».

«Dove è nato?».

«A Milano».

«Quando?».

«Il 16 novembre 1959».

Colnaghi fece due conti: ventidue anni. Scosse la testa fra sé.

La Franz completò in fretta le altre formalità – se avesse beni patrimoniali, quali erano le sue condizioni di vita famigliare, e così via. A volte Meraviglia rispondeva secondo il tono con cui aveva iniziato – franco, diretto, tranquillo – e a volte semplicemente taceva. Ogni tre frasi ne terminava una ribadendo che era prigioniero politico.

Alla fine la Franz indurì la voce: «Allora, Meraviglia, adesso che abbiamo finito le spiego un attimo perché sono qui e cosa voglio da lei. Io sono il giudice istruttore

187

Caterina Franz, e lui il sostituto procuratore Giacomo Colnaghi, del Tribunale di Milano».

«Vi conosciamo», la interruppe Meraviglia.

Colnaghi fece per intervenire d'istinto, ma si fermò un istante e riprese il controllo: «Ma certo. Immagino che siamo sul vostro libro nero da un bel po', giusto?».

Silenzio.

La Franz sembrò non avere sentito nulla. Riprese: «Veniamo subito al punto. Possiamo offrirle protezione, tranquillità e un grosso sconto sulla pena se decide di collaborare. Vale a dire, se ci fornisce delle informazioni rilevanti sul gruppo di cui ha già ammesso di essere uno dei fondatori. Qualunque cosa: nomi, luoghi, progetti. Qualunque cosa lei voglia dirci».

Lui scosse la testa e tornò a sorridere: «Non ha capito, dottoressa. Avete preso me e va benissimo, la responsabilità della formazione è mia: ma non sono un traditore e ai miei ragazzi ci tengo».

«Prima di essere così netto», disse Colnaghi, «le vorrei ricordare che la vita in carcere può essere molto dura».

«Mi sta minacciando?».

«Diciamo che suggerisco un po' di flessibilità».

Uno dei poliziotti, il più giovane, si concesse un brutto ghigno: «Dottore, poi ci parliamo noi. Non vede che non ragiona? È una bestia come gli altri».

«Meglio bestia che un fascista di merda come te», disse Meraviglia.

«Ma io ti spacco la faccia!».

«Basta», intervenne la Franz. «Esca, appuntato.

Anzi, uscite tutti e tre. Non tollero questo comportamento».

Il ragazzo ebbe un altro moto d'ira, poi si ricompose e si scusò: «Comandi», disse. Uscì con gli altri e chiuse la porta dietro di sé. Colnaghi li sentì parlottare a bassa voce nel corridoio.

Meraviglia alzò lo sguardo: «Vi conviene tornare a dormire», disse.

«Nessuno le ha detto di parlare», disse la Franz.

Colnaghi annuì fra sé.

«Le dispiace se fumo la pipa?», chiese.

«No. Perché mi date del lei?».

«Be', per quanto mi riguarda è una delle cose che mi ha insegnato Guido Galli. Bisogna sempre trattare anche il peggio criminale come un essere umano. L'hanno ucciso i vostri colleghi di Prima linea, quindi saprà di chi parlo».

«Non sono nostri colleghi».

«Sì, lo so che non corre buon sangue». Gli puntò contro la canna della pipa: «E lei, perché mi dà del lei? Voi compagni non siete piuttosto informali, di solito?».

Il ragazzo si limitò a scrollare le spalle; per la prima volta apparve davvero esausto, persino confuso: «Buona educazione», disse.

Colnaghi sorrise ancora. All'improvviso sentì arrivare la solita, assurda simpatia a pelle. Era come se durante gli interrogatori la realtà delle cose – l'orribile realtà fatta di colpevoli e innocenti, assassini e vittime, frodatori e derubati – perdesse qualche grado della sua violenza: allora in Colnaghi si risvegliava un'empatia minima. Bastava un dettaglio qualsiasi. La *buona educazione*. Un sorriso autentico, che lampeggiava all'improvviso. Si rimproverava; a volte avrebbe voluto essere più duro. Ripensò a Doni; anche a Doni piaceva parlare con i criminali, ma per lui era diverso: faceva leva sul loro istintivo bisogno di comprensione per poi fregarli. Invece Colnaghi non riusciva a levarsi di dosso quella pietà confusa. Una volta don Luciano gli aveva detto che avrebbe dovuto fare il prete, non il magistrato, e lui si era stretto nelle spalle. Forse era vero. Forse aveva sbagliato tutto.

La Franz proseguiva diritta come al solito: «Ammette di essere il responsabile dell'omicidio di Aldo Vissani, avvenuto in data 9 gennaio 1981 e rivendicato da Formazione proletaria combattente?».

Il ragazzo taceva.

«Meraviglia? Mi vuole rispondere, per favore?».

«Se me lo chiede, vuol dire che lo sapete già».

«Lo ammette?».

«Non ho niente da dire e non dirò più nulla».

Colnaghi e la Franz si guardarono. Lei strizzò le sopracciglia e dichiarò terminata la parte ufficiale del verbale: lo chiese al segretario, lo rilesse e domandò a Meraviglia di firmare. Lui rifiutò. Il difensore d'ufficio chiese la stilografica a Colnaghi e firmò con la frase di stile, *Per presa visione e rinuncia al deposito*. Firmarono anche i due magistrati.

«Benissimo». Colnaghi parve sollevato. Rimise il cappuccio alla stilografica e si allungò un poco sulla sedia. «Caterina, puoi lasciarci due minuti?».

«Come, scusa?».

«Vorrei fare due chiacchiere con il signore, se possibile».

«Ma perché?».

«Solo due chiacchiere», ripeté lui.

Lei aggrottò le sopracciglia indecisa. «D'accordo», disse alla fine, senza smettere di fissarlo. «Anche se poi vorrei che mi spiegassi».

Uscirono dalla stanza. Anche il difensore d'ufficio aveva l'aria perplessa; Colnaghi assicurò che si trattava di una comunicazione fuori verbale.

«Non ho niente da dire», ripeté Meraviglia quando la porta fu chiusa. Ora la stanza sembrava un po' più grande. La luce al neon sfrigolò per qualche istante, e quindi si stabilizzò.

«Non le sto chiedendo nulla», disse Colnaghi. «Voglio solo parlare un po'».

«Cos'è, un assistente sociale?».

«No». La pipa si era spenta: la riaccese, fece un paio di tiri, quindi tornò a parlare. «Mi dica, come si è fatto quell'ematoma?».

Il ragazzo alzò le mani al viso. La parte superiore dell'occhio destro era gonfia, bluastra: la sfiorò delicatamente con un dito.

«Lo sa benissimo. Mi hanno picchiato quando mi hanno preso, e anche dopo, in cella». La voce era piena di sdegno. «E suppongo che ne prenderò altre ancora. I metodi dello Stato democratico, eh?».

«Sì, è una cosa indegna», commentò Colnaghi. «Ma immagino che qui venga considerata come una piccola eccezione invece di un grave errore».

«Eh?».

«Niente, lasci perdere». Si grattò il naso. «Ricominciamo da capo».

«Non ho nulla da dire».

«Lo so, non parlerà eccetera. Ma come le ho detto, non farò altre domande sull'omicidio di Aldo Vissani, né sulla sua organizzazione. Non voglio nomi e comunque non li potrei chiedere, in questo momento. Vorrei soltanto capire meglio». Fece schioccare la lingua. «Lei mi sembra una persona intelligente. Molto consapevole di quello che sta succedendo».

Meraviglia tacque.

«Come posso fare per farmi credere... Sono soltanto interessato al perché un ragazzo come lei sia finito così».

Lui scosse la testa, disgustato: «Si legga i nostri comunicati», disse.

«Li ho letti e riletti più volte. Quello che vorrei sapere da lei è perché un giovane uomo, figlio, a quanto ho saputo, di un geometra e di una bancaria, nato e cresciuto in un quartiere normale come i dintorni di Porta Venezia, debba diventare un omicida. Capisco le parole, anche le più brutte. Capisco la rabbia, capisco tutto. Non capisco questo. Me lo può spiegare?».

«Lei mi vuole fottere».

«No. È libero di tacere o di rispondermi, come preferisce».

Meraviglia corrugò la fronte. Non si aspettava questo tipo di discorso. Non si aspettava nessun tipo di discorso, probabilmente. Raccolse i pensieri per un minuto e poi disse: «Le parole senza fatti non contano nulla. Io mi sono assunto la responsabilità di quello in cui credo. Mi sono sacrificato per la causa. E non ho rimpianti». Lo fissò negli occhi: Colnaghi attese una reazione feroce, e invece non arrivò nulla. La voce di Meraviglia era sempre calma e pacata. «Questa per me è giustizia. Lei è un magistrato, no? Dovrebbe credere nella giustizia».

«È la cosa più importante della mia vita».

«Ecco. Lei ha la sua giustizia dettata dallo Stato dei padroni, io ho la mia dettata dagli oppressi. Qual è la migliore?».

Colnaghi scosse la testa e si allungò per qualche centimetro sul tavolo. «Voi ammazzate degli innocenti», disse.

«Lo fate anche voi».

«Oh, la prego».

Meraviglia fece un lungo, nervoso sospiro: «Ha detto di voler capire, ma se vuole capire deve cominciare ad ammetterlo: non abbiamo cominciato noi. Ha cominciato lo Stato. Io non avrei nemmeno alzato un dito se non ci fossero stati anni, decenni di violenza da parte dei padroni. I cortei di operai dispersi con la forza, con le armi. Le proteste che finiscono ogni volta nel sangue. Stai zitto, china la testa e lavora, altrimenti ti portiamo via tutto, ti facciamo morire di fame. E le bombe, dottore, le *bombe*. I depistaggi della Dc. I silenzi. Il sostegno ai fascisti, lo stato di polizia. Milano, Brescia, Bologna, il treno Italicus: tutta roba piovuta dall'alto, senza rimorso. E *voi* chiamate *noi* terroristi?

No, così è troppo comodo. Noi – io – siamo parte di tutto ciò che avete fatto. Ne siamo la diretta conseguenza, e lottiamo perché tutto questo schifo non ci sia più. Lottiamo per i deboli e per la rivoluzione». Lo fissò. «Quei morti per lei non contano?».

«Contano moltissimo, ma non è così che si risolve il problema. E tutta questa violenza chiederà vendetta. La sta già chiedendo. La gente comune a cui avete tolto un padre, o un fratello, o un amico; i deboli di cui vorrebbe farsi difensore e che mai hanno pensato di mettersi a sparare; tutti, tutti stanno chiedendo vendetta. Andrà sempre peggio, lo capisce? State facendo il gioco degli oppressori».

Meraviglia sembrò non ascoltarlo: «Quindi l'alternativa è andare avanti così, lasciare ogni cosa in mano a una Dc sempre più sovrana, a un Pci sempre più inetto: giocare alla democrazia invece di viverla. Compromessi su compromessi, fino a rovinarci tutti». Fece un sorriso feroce. «Il tipico pensiero borghese: finché gli altri si sporcano le mani va bene, ma poi mi chiamo fuori. Voto, delego. Tutto qua».

«Ah, Signur!», sbottò Colnaghi. «Ma non avete altre formule? Sempre le stesse vecchie parole? Poi vi domandate come noi credenti riusciamo a ripetere le preghiere ogni volta. E comunque non sono un borghese, Meraviglia. Sono cresciuto orfano di padre in provincia. Due figli, pochi soldi, l'oratorio. Informatevi, prima».

Il ragazzo considerò quelle parole, restò zitto per una trentina di secondi. «Anch'io andavo all'oratorio», disse alla fine.

Colnaghi tacque. Il ragazzo alzò la testa, e per una volta il suo tono sembrò addolcirsi: «Anch'io andavo all'oratorio. Ma a lei, quell'infanzia? Tutta quella fatica? Non le è servita a niente».

«Non sono diventato un rosso, no. E nemmeno uno che spara alla gente. Cerco solo di fare il mio dovere e di essere una persona migliore».

«E lo fa servendo uno Stato fascista? Complimenti».

«Il nostro *non* è uno Stato fascista. Non siamo in una dittatura sudamericana, lo vuole capire?». Scosse la testa. «E comunque io non servo lo "Stato" che ha in mente lei. Io servo la giustizia».

«Ah! Che belle parole. Ma come pensa che andrà a finire? Cosa pensa di chi non ha più lavoro, di chi viene sfruttato nelle fabbriche? Li vede i palazzi sfitti e la gente che non sa dove dormire? Conosce lo stato del paese, del paese vero, umiliato, disperato, dei quartieri di periferia e dei paesini del sud, di chi non ha soldi nemmeno per fare la spesa?».

«Lo conosco! Ma l'unica vostra risposta a tutto questo, come le ho già detto, è la più stupida e vile: ammazzare gli innocenti. Li scegliete, li pedinate e li uccidete. Ma cosa pensate? Che a furia di uccidere della gente indifesa, la rivoluzione marxista si compirà? È questo che pensate?».

Meraviglia sembrò rinculare un attimo, ma si riprese alla svelta.

«Senta, questi sono i mezzi. Mi rendo conto che non le piacciano, mi creda. Personalmente non provo alcuna gioia nello sparare, e trovo nauseanti i discorsi sulla vitalità della lotta armata. Uccidere fa schifo. Ma i fatti prima di tutto: uccidiamo solo perché non c'è altra soluzione, perché questo è il tipo di scontro cui siamo abituati. Le ho già detto che non abbiamo cominciato noi. A una bomba in una piazza, come si reagisce? *Quello* è stato assassinio di innocenti, non il nostro! Noi giudichiamo e colpiamo singole persone per un paese migliore; per dare speranza alle vere vittime. Pagheremmo volentieri un altro prezzo, ma non c'è scampo. Questi sono i mezzi e i fini sono i più alti».

«I mezzi e i fini devono stare alla stessa altezza», disse Colnaghi. «Altrimenti è tutto perduto. E naturalmente non vi è mai passato per la testa che quelle *singole persone* che giudicate siano persone qualsiasi, vero? Senza connessione alcuna con i centri del potere che volete piegare. Padri di famiglia senza colpe, semplici individui che facevano il loro lavoro. Che cercavano di rendere migliore lo Stato che tanto odiate. No, erano tutti dei boia, tutti meritevoli di un proiettile nelle gambe o nello stomaco. È così, vero? Nessun appello, nel tribunale popolare».

Meraviglia si limitò a fare una smorfia schifata e scuotere la testa: «Se facevano quel lavoro significa che avevano scelto di difendere lo stato di cose: dunque erano corresponsabili. Mi dispiace per loro come esseri umani, anche se so che non mi crederà. Ma questa è una guerra, e in ogni guerra si sceglie da che parte stare. Noi abbiamo scelto quella degli umili. E ogni padrone che cade ripaga il dolore di migliaia di poveri cristi innocenti, di migliaia di disoccupati, di migliaia di persone che fanno la fame. Dà loro la speranza che qualcosa cambi. Che non sono soli».

«No, si sbaglia. Questa è solo vendetta, e non cambia le cose, vi fa semplicemente sentire meglio. Occhio per occhio dente per dente, ma dov'è tutta la speranza di cui parla? Sono anni che sparate e la gente ha solo paura di voi: perché di fondo lo sa. Di fondo sa che inseguite un delirio, che non è questa la strada per uscirne».

Sostennero lo sguardo. Meraviglia si passò la lingua sulle labbra riarse, poi tossì: «E quindi il problema come si risolve?», disse. «Avanti. Mi spieghi un po'».

Colnaghi alzò le braccia per indicare loro due: «Parlando. Trovandoci a metà strada nei bar, nelle chiese, nelle piazze. Così forse finalmente ci si conosce, tutti insieme, e si capisce che siamo in tanti a volere un'altra Italia».

«Un'altra Italia?», sorrise Meraviglia. «Io e lei vorremmo un'altra Italia, e per di più *insieme*? Ah, Cristo, non avrei mai pensato di... Cristo, questa è davvero la madre di tutte le stronzate». Alzò la voce di colpo: «Ma lei cosa cazzo ne sa? Lei parla, parla, ma cosa ne vuole sapere? Ha mai vissuto quel che abbiamo vissuto noi? Ha mai provato quel dolore, quella rabbia – e quella fratellanza che ti dà solo la causa? No. Lo sa cosa vuol dire vedere due poliziotti che spaccano i denti a una ragazza, durante un corteo? Lo sa quante volte ho difeso un compagno dall'aggressione di un fascista? No. Può giudicarci: si limiti a questo. Capire, non potrà mai, e sa perché?». Indicò la stanza che li conteneva. «Perché lei pensa di avere ragione e vuole parlare, ma mi tiene in catene. E io penso che se il sistema è spietato, ho il diritto sacrosanto di esserlo anch'io; e colpendone i simboli posso indebolirlo fino a spezzarlo. Fine del discorso. Ma si ricordi che da parte sua non c'è ragione o giustizia: c'è solo una differenza di potere. In questo momento ne ha chiaramente di più lei: quindi domani sarà il salvatore della patria, e io il mostro in prima pagina sui giornali. E va bene così, fa parte del gioco, lo accetto».

Colnaghi cominciò a sentire le proprie parole staccarsi dal corpo come particelle di cui non comprendeva la provenienza: eppure non aveva vergogna, né timore: si stava confessando, non era più lui l'interrogatore – un momento che aveva, forse, atteso da tempo: «No, è proprio questo il punto», disse. «Io non posso considerare gli uomini come dei simboli, o dei mezzi da usare per cambiare le cose. Non ci riesco, e non tollero che questa mostruosità venga chiamata giustizia. E certo, so che la nostra democrazia è piena di ombre, di errori spaventosi. Ma con tutte le sue ombre, se non altro può migliorare: può fermare l'onda dell'odio, può farla finita con i fascisti, può combattere il male che si porta dentro. Invece l'omicidio di un uomo – di un uomo *inerme*, Dio mio, di un uomo colpito alle spalle – non si corregge: e non serve a nulla. Lascia solo una sofferenza incolmabile, una scia di domande che non trovano risposta». Alzò la testa, strinse i denti più forte che poteva. «Volete fare la rivoluzione, ma tutto quello che avete ottenuto è ammazzare delle persone».

«Gliel'ho detto, è una guerra: e in guerra ci sono sempre dei morti. Cosa crede, che i partigiani...».

«Voi non siete i partigiani!», gridò Colnaghi alzandosi di scatto, e Meraviglia si chinò d'istinto piegando la testa. «Ha capito? Mi ha *capito*? Non siete i partigiani!».

La stanza ricadde nel silenzio. I due uomini rimasero immobili per qualche istante. Poi Colnaghi aprì la porta, chiamò i poliziotti e li pregò di rientrare.

«Va bene, Meraviglia, è tutto», disse, e lo fissò per l'ultima volta. Un giovane uomo cresciuto in oratorio, come lui, e che come lui aveva amato e sofferto, che magari come lui era appassionato di calcio e di ciclismo, e che forse avrebbe potuto essere un'altra persona. Ma aveva scelto, era libero, e la sua libertà l'aveva portato lì.

«È tutto», ripeté Colnaghi, quindi uscì e rimase fermo nel corridoio, le braccia abbandonate lungo il corpo. La Franz gli venne incontro dalla sala principale, e senza domandare niente lo abbracciò forte per un istante: poi si allontanò e sorrise imbarazzata: «Scusa», disse. «Scusa».

Nel bagno della questura, in piedi di fronte al buco della turca, Colnaghi rimase a lungo a guardare la parete bianca di fronte a sé. Poi si riscosse, andò al lavandino e si tolse la cravatta, la piegò in tre e se la mise in tasca. Quindi cominciò con metodo a buttarsi acqua fresca sugli occhi e attorno al collo. Quando ebbe finito evitò di guardarsi nello specchio; si asciugò in fretta e uscì.

Una fatica boia. Ecco cos'era.

Una fatica boia perché di giorno si lavorava, anche più del solito: dieci, undici, a volte dodici ore di fila al tornio, e guai a chi alzava la testa, erano botte: e poi la sera era diventato tutto un gran macello. Di colpo la città sembrava percorsa da una seconda anima, più sottile e guardinga, fatta di ribelli che si parlavano solo a gruppi ben distinti: i cattolici coi cattolici, i socialisti coi socialisti. E poi loro della Garibaldi, e altri ancora.

L'Ernesto, Beppo, era stupito. Sperava che ci fosse più sostegno da parte del popolo, ma la maggioranza delle persone si limitava a vivere come se niente fosse: faceva un altro buco sulla cintura, e via. I contadini, poi, avevano una paura matta: qualcuno aveva persino consegnato un partigiano ai tedeschi, in cambio di quei «lauti premi» che promettevano su ogni manifesto. Ma se tutti si fossero ribellati. Se tutti insieme – non solo gli operai, non solo i comunisti, non solo i cospiratori – se tutti insieme fossero scesi in piazza. Con una candela in mano. Con un'arma in mano – anche una forca, o un bastone. Se fossero tutti scesi per strada così, a Saronno, a Cesate, a Solaro, a Milano, a Bologna, in Italia: non sarebbe bastato?

L'Ernesto proprio non capiva. E intanto c'era anche il problema del cibo. Persino il suocero, che si vantava di avere sempre un pezzo di carne in tavola, era ridotto male: i tedeschi avevano dato un giro di vite sulle attività come la sua, poco chiare per essenza, un po' mediatore e un po' commerciante, qualche campo in periferia e qualche animale in stalla in centro. La Lucia era sempre più preoccupata e l'Angela si ammalava di continuo. L'unico a sembrare in forma era il piccolo Giacomo, il primo che l'Ernesto salutava rientrando.

Era una fatica boia, insomma. Eppure non si arrendevano: piccoli sabotaggi, aiuto ai renitenti, scambio di armi. Una volta, con il Pagani e il René era andato a recuperare un borsone pieno di fucili e nottetempo l'avevano nascosto al casolare. Al mattino dopo, prima dell'alba, un'automobile scassata era venuta a prenderselo: partigiani comaschi, aveva spiegato l'Egidio. Qualcuno sarebbe morto, nei giorni a venire.

Intanto la stampa clandestina dal Croci continuava senza posa, con il vecchio tipografo che si fregava le mani e annusava ogni volantino che il ciclostile sputava fuori: fra tutti, sembrava il più entusiasta e il più assetato di battaglia. SARONNESI, UNITEVI A NOI NELLA LOTTA CONTRO IL NAZIFASCISMO! E il Croci: «Va' ma l'è bel! Al ma pàr un'opera d'arte!». E gli posava sopra un bacio, come un regalo di buona fortuna.

Ad agosto cominciarono i rastrellamenti, ma i fascisti presero più che altro renitenti alla leva che si nascondevano in famiglia. L'Egidio era teso, ma anche soddisfatto: «Si stan cagando sotto», diceva. «Gli mettiamo paura. Siamo

*pochi, combiniamo ancora poco rispetto ad altre formazioni,
ma gli mettiamo paura. Bravi!».*

Ogni tanto si facevano aiutare da alcune ragazzine che
correvano in bicicletta: sedicenni, diciassettenni: all'Ernesto
questa cosa non piaceva, ma doveva riconoscere che era il
modo più semplice e sicuro per far circolare i messaggi.
Nessuno avrebbe fermato una signorina col foulard in testa.
Facevano le staffette tra loro e i gruppi di Ceriano Laghetto,
di Caronno Pertusella, di Solaro: volavano fra i campi pe-
dalando come matte, nelle ore in cui loro erano in fabbrica
o poco prima del tramonto, di nascosto dalle madri, allegre
e impaurite e piene di coraggio. Con una di loro, Teresa,
l'Ernesto diventò quasi amico, una specie di zio: una volta
le regalò uno scialle che la Lucia voleva dare ai poveri. Lei
sorrideva e si faceva un po' rossa sotto i ricci castani. L'Ernesto
sperò che sua figlia Angela diventasse come quella ragazza:
dolce, coraggiosa, senza paura. Poi pensò al suocero e si fece
una risata: ad andar bene sarebbe diventata una paolotta.

Giunse l'autunno. L'Egidio li teneva informati seguendo
Radio Londra: la Repubblichina era al collasso, la Finlandia
e l'Ungheria si erano arrese ai russi. A ottobre avevano festeggiato
tutti insieme l'ingresso dei partigiani jugoslavi a Belgrado, can-
tando «Tito, Tito!», e quando gli inglesi erano sbarcati in
Grecia il Renato si era buttato in ginocchio ringraziando la
Madonna perché aveva un cugino su un'isola dell'Egeo: l'Egidio
gli aveva tirato la solita sberla, spiegandogli che invece della
Madonna avrebbe dovuto dire grazie a Churchill.

Hitler vedeva il suo impero sfaldarsi, e gli alleati bombardavano la Germania ogni giorno. Ma le cose, lì al Nord

Italia, non sembravano migliorare. Nei boschi la guerra si era fatta spietata, e l'Egidio leggeva a ogni incontro bollettini tristi e arrabbiati del Comando generale, che invitavano gli uomini delle varie brigate a tenere la linea nonostante il freddo, e la fatica, e le morti, e il dolore. E la linea veniva tenuta: le bestemmie si mischiavano agli abbracci, i timori venivano ricacciati in gola, e nessuno osava fare un passo indietro.

Il 4 novembre quelli di Giustizia e Libertà, prima dell'alba, fecero trovare una corona di crisantemi sull'ara del monumento ai caduti della Grande Guerra. La voce girò in fretta e l'Ernesto andò a vederla con qualche compagno. Sotto c'era scritto: I proletari ricordano. I vostri sacrifici non saranno vani. Il figlio del Clerici si mise a piangere, e persino il Pagani sembrava commosso. Nel freddo e sotto la pioggia, in quel pomeriggio color ghisa, tutti sentirono il corpo invaso da una fiamma: quei ragazzi che erano stati i loro padri li chiamavano da una guerra più lontana, li chiamavano dalle fosse zuppe di fango dell'Alto Veneto: li chiamavano dalle tombe in cui erano finiti, per sbaglio o per sventura o persino per amore: chiedevano soltanto una promessa, quella che i compagni di Giustizia e Libertà avevano scritto in poche parole. No, nessun sacrificio sarebbe stato vano.

Qualche giorno dopo il Roveda decise di lanciare un'azione più seria. Abbassò la voce: avrebbero distrutto gli archivi annonari della città, custoditi in un ufficio del municipio.

«*In questo modo le quote di tutte le consegne dei contadini vanno a remengo*», spiegò. «*L'ho studiata per un po' di tempo e dovrebbe andare tutto liscio. Chi si offre volontario?*».

Subito si alzarono due mani, mentre gli altri cominciarono a mormorare. L'Ernesto, Beppo, guardò le sue. Più avanti si sarebbe ricordato a lungo di quel momento, e di come avrebbe cambiato la sua vita. Aveva giurato di mettere in luce il proprio coraggio, ma – e se l'avessero preso? Se l'avessero ucciso? Pensò alla Lucia e ai suoi figli. Rivide il sorriso di Giacomino nella culla che gli aveva costruito. Poi ricordò la corona di crisantemi, strinse il pugno della destra e si disse che se era giunto fino a lì, se aveva superato tutte quelle prove, era perché la sua convinzione era più forte di ogni paura, e che anche molti altri avevano moglie e bambini, ma per tutti questa era una nuova famiglia, da difendere e sostenere. Poteva essere sgangherata e inesperta, ma rimaneva una famiglia. Sciolse il pugno e alzò il braccio.

L'Egidio contò i volontari, ne escluse un paio, formò il gruppo d'azione.

«*Sarà fra cinque giorni*», disse. «*Ora vi dico il piano*».

18

Uscì all'aperto, stremato, poco prima dell'alba. Milano sembrava colpita da una nuova peste: e sullo sfondo fumoso del cielo i palazzi erano veli di carta sottile, sopra i quali erano appese le ultime stelle. Colnaghi si fermò qualche istante sotto la macchia di luce di un lampione e caricò la pipa. Non aveva voglia di fumare, ma sperava che quei gesti automatici lo aiutassero a smaltire la tensione. Chiuse gli occhi e tentò di registrare il profumo torbido dell'estate, i pochi minuti di ristoro prima dell'afa.

Poi salì in auto e imboccò corso di Porta Vittoria, svoltando a sinistra per la cerchia dei Navigli. Arrivato all'altezza di piazzale Cadorna proseguì verso nord, evitando l'autostrada: corso Sempione divenne viale Certosa, e la città scolorò rapidamente in una periferia di palazzoni e case popolari.

Guidava senza pensare, sorretto dal ronzio cupo del motore: solo all'altezza di Garbagnate si accorse del proprio corpo. Parcheggiò l'auto di fronte a un bar appena aperto. Attraverso i vetri del locale, Colnaghi vide due operai bere al bancone. Il padrone si era scordato di ritirare il fascio di quotidiani, che giaceva abbandonato di fronte alla porta. Colnaghi lo raccolse, lo portò dentro e chiese un caffè. Guardò gli operai che parlavano in dialetto ridacchiando, le mani grosse e segnate: figli della stessa terra, tutti, una terra fredda e cattiva, che non poteva essere amata ma solo vissuta, lavorata, sudata. Tre mosche andavano e venivano attorno a loro.

Risalì in auto e tornò a casa. Di fronte alla porta, seduta su uno sgabello bianco, sua madre lo aspettava a braccia conserte: la vide già dalla curva che portava alla serie di villette dove abitavano: la vide lì, immobile, ad aspettare il suo ritorno. Lo faceva ogni volta.

Colnaghi parcheggiò e scese.

«Ciao», disse.

«Ciao», disse lei.

«Entriamo? Sono tornato, non c'è più bisogno di tenere la fortezza».

Lei si alzò e lo seguì in casa. Appoggiò lo sgabello contro l'attaccapanni e in cucina mise la caffettiera sul fuoco.

«Ho già preso il caffè», disse Colnaghi.

«Non importa. Lo beviamo di nuovo insieme».

«D'accordo».

Gli si sedette davanti e passò la mano destra sul viso. Non lo guardava. In silenzio attesero che la caffettiera fischiasse. Lei riempì un bicchiere d'acqua al lavandino, lo bevve e si asciugò con il grembiule gettato lì accanto. Poi servì il caffè.

Colnaghi portò le labbra alla tazza, ma attese prima di bere. La vecchia sartina che voleva fare la modista, la Lucia, la figlia del mediatore, sua madre, fissava fuori dalla finestra. A un certo punto lui parlò.

«Mamma».

«Eh».

«Tu hai mai perdonato papà per quello che ha fatto?».

Lei non sembrò stupita da quella domanda. Forse l'aveva già fatta, forse no, o forse era tutta la sua vita ad incarnarla.

«No», disse.

Colnaghi annuì.

«Ho capito», rispose.

Rimasero un po' a guardare insieme il cielo farsi azzurro. Non c'era una nuvola: una giornata stupenda. Dal fondo della strada videro avanzare lentamente un'automobile; si fermò al semaforo poco distante, i fari tremavano appena. Quando si accese il verde partì con uno scatto improvviso.

Dopo un po' sua madre riprese: «Guarda che la Mirella ha bisogno che le stai più vicino».

«Lo so».

«No, non lo sai. Gli uomini a capìssen nigòt di 'sti rob chi».

Colnaghi sentì la rabbia salire: «Va bene, allora non lo so».

«Non lo capiva el to pà, e non lo capisci tu. Per te è facile, lo guardi lì, la foto sulla credenza, e ta sèt a post. Ma va' che a tirar su due figli come li ho tirati su io...».

«Basta!», sibilò Colnaghi. «Mamma, ti prego. Ti

scongiuro. Per quante volte ancora dobbiamo tornare su questa storia?».

«Sei tu che hai cominciato, fioeu. Io ti ho raccontato le cose come stavano».

Colnaghi prese le tazze, le mise nel lavello e fece scorrere un po' d'acqua. Quindi salì al piano di sopra e sedette sul bordo del letto, in camera, sotto il crocifisso e di fianco alla fotografia di lui e Mirella appena sposati, sorridenti, felici. Alla fine chiuse gli occhi e stringendoli forte cercò di cambiare il colore bordò che vedeva sulle palpebre con un'oscurità più densa.

Se solo avesse potuto spiegare a sua madre, a chiunque, cosa significava voler conoscere la verità. Contribuire anche minimamente a creare un ordine giusto. Se solo avesse trovato le parole per dirle che questo non dipendeva da un astratto dovere ma da un bisogno fisico, che gli veniva dalle viscere, un po' come innamorarsi o desiderare un bel piatto di pasta: e che ogni ripensamento e timore erano lampi momentanei: perché solo così era felice. E di certo sapeva quanto potesse pesare questa scelta sugli altri. Errori ed eccezioni, no?

A volte pensava al destino di suo padre e a come certe buie trame potessero realizzarsi anche nella sua vita. Credeva di vedere il corpo di quell'uomo morto come tutti i corpi degli uomini morti per un bene più grande, eppure nonostante la paura – che c'era, ed era tanta – questa fila di cadaveri non gli indicava di abbandonare la via, bensì di proseguirla.

Sentì bussare alla porta. Si rese conto di essersi addormentato, forse per qualche minuto: la bocca era impastata, reagì con ritardo.

«Sì», disse.

Sua madre aprì appena la porta senza entrare.

«Che c'è?», chiese ancora. «Sono stanco».

«Ta set inscì bel, Giacomino. Non perderti via, ti prego».

«Mamma, dai».

«Non andar via anche tu».

Colnaghi chiuse di nuovo gli occhi e riprese a stringerli più forte che poteva, come aveva fatto prima. Sentiva la voce rotta di sua madre – *non andar via, non andar via* – ed ebbe quasi voglia di gridare. Poi la percepì avvicinarsi, riaprì le palpebre e si mise a sedere sul letto. Incrociò le mani fra le gambe, sfinito.

«Gli volevo bene», disse sua madre, chinandosi di fronte a lui. «Gli volevo bene, a quel matto. Oh, l'era matto davvero, Giacumìn! E un senzadio. Ma eravamo innamorati, e poi queste sono robe da uomini. E quindi va bene, sa ta devi dì. Hai ragione tu, non era colpa sua e non è colpa tua. Ti ho aspettato qui davanti, e lo facevo anche quando el tò pà l'era via: lui non lo sapeva, ma io ero sempre sveglia, rimanevo seduta in stanza, tenevo il respiro perché el tò nono non mi sentisse, e a volte venivo a carezzare te e l'Angela. E quindi ti aspetto sempre, non ti preoccupare. T'è capì? Io ti aspetto sempre».

Colnaghi la fissò senza parlare: cercò disperatamente in quelle parole un'immagine, anche minima, del padre, ma non la trovò. Sapeva che doveva essere da qualche parte, eppure gli sfuggiva. Alla fine si domandò se questo lo avrebbe salvato.

Quindi accettò una sua carezza sul viso, sentì la pelle segnata dal tempo passare sulle palpebre socchiuse, sulle guance con la barba ispida, chiudere il gesto attorno alle labbra. Poi la sentì uscire.

19

Il lunedì, a Milano, seppe da Micillo che l'avevano cercato alcuni giornalisti: avevano telefonato a rotazione – quello del «Giorno» già due volte – dalle sette e mezza del mattino.

«E tu eri qui alle sette e mezza?», chiese Colnaghi.

«Ma va'. Me lo son fatto dire da quelli delle pulizie. Il telefono squillava, squillava».

«E come fai a sapere che…?».

«Guardalo, il brillante investigatore. Alle otto e venti sono arrivato, ho preso la copia delle chiavi che mi hai lasciato e sono entrato a rispondere. Ti ho fatto da segretario, in pratica».

«Signur».

«Ho lasciato detto che saresti arrivato a breve».

«La devi smettere di entrare nel mio ufficio per queste cose».

«Ma se t'ho fatto un favore! Potevo farmi bello io». Strizzò l'occhio. Il telefono squillò di nuovo in quel momento, mentre parlavano sulla porta. Micillo sorrise e alzò i palmi: «Visto? Dai, corri, è il tuo giorno di gloria».

Colnaghi rispose di malavoglia a quella e altre due telefonate. Le domande dei giornalisti erano per lo più banali, di rito. Domande stanche per fatti di cui erano tutti stanchi: poteva dare qualche dettaglio sull'operazione? Chi era l'arrestato e a quale gruppo apparteneva di preciso? Il colpo era significativo per le sorti del terrorismo di sinistra? Altre indicazioni, gentilmente?

Quando ebbe finito, Colnaghi rimase seduto preda delle zanzare. Il ventilatore ronzava. Accese la pipa ma si limitò a fare due tiri: il caldo e la stanchezza rendevano il fumo disgustoso.

Il telefono squillò di nuovo. Stavolta era il suo capo. Colnaghi alzò gli occhi al cielo.

Bussò ed entrò nella stanza. Come il procuratore lo vide alzò gli occhi dalla scrivania e gli fece cenno di avvicinarsi. Lui restò in piedi. Il capo intrecciò le dita e tagliò corto: «Senti, Colnaghi».

«Sì».

«Te la faccio molto breve. Io e te non ci piacciamo, mi sembra evidente. Vediamo il mondo con lenti di colore diverso, e non mi è mai andato giù il tuo modo di fare. Ma, devo dirlo, sei bravo».

Colnaghi annuì con un sorriso, ma attese ancora. Il procuratore si tolse gli occhiali e li puntò contro di lui.

«Non ti sto facendo la corte», riprese. «Né voglio scusarmi per averti messo i bastoni fra le ruote in precedenza. Hai sempre lavorato bene e avresti potuto fare ancora di più, ma io ho anche dei doveri, diciamo così, politici. A te non piacerà, ma in fondo è una variante della frase che ripeti sempre. Com'era?».

«Eccezioni sempre, errori mai». Ma impedire a un uomo di lavorare bene non è un'eccezione, avrebbe voluto precisare Colnaghi, è un errore enorme.

«Ecco, sì. In ogni caso, hai fatto di testa tua: hai costituito un gruppetto e sei stato in gamba a farlo con due persone che stimo. Ti ho lasciato fare, e alla fine hai avuto ragione tu. Va bene?».

Colnaghi distese i nervi. Un'ammissione del genere da un uomo del genere era una rarità.

«Grazie», disse. Poi, dopo un istante: «Ma non mi ha chiamato solo per farmi i complimenti, vero?».

Il procuratore inforcò di nuovo gli occhiali e tornò a passare le carte sulla scrivania. Da quella posizione disse piano: «No. Ti ho chiamato per chiederti di nuovo se ritieni necessaria una scorta. Soprattutto alla luce di quanto è appena successo». Fece una brevissima pausa. «Per non parlare di quanto è successo in precedenza», aggiunse.

Colnaghi strinse le labbra: «Direi di no. Micillo non ha una scorta. La Franz non ha una scorta. E poi lo sa come la penso su queste cose».

«Lo so, e non lo condivido».

«Credo che degli agenti possano risultare più utili altrove».

«Sei davvero sicuro?».

«Sicuro».

Lui alzò gli occhi e annuì, non del tutto convinto.

«Hai almeno la valigetta, sì?».

Colnaghi non trattenne un sorriso. Negli anni precedenti avevano fornito ai magistrati una valigetta con il fondo di metallo per respingere i proiettili: un'assurdità totale.

«Certamente», disse.

«Va bene», rispose. «Va bene. Puoi andare».

In ufficio si rimise al telefono e chiamò la pensione in Liguria. Rispose una ragazza, che lo tenne in attesa per un minuto. Per fortuna Mirella era ancora in camera.

«Giacomo», disse, appena prese la cornetta. «Come stai?».

«Tutto bene».

«Ho sentito al telegiornale che...».

«Sì. Sta andando tutto bene. Domani ne leggerai ancora, comprese le interviste al prode Colnaghi».

«Bene! Bravo, tesoro. Sei stato bravissimo».

«Sono stati bravissimi i poliziotti. Io mi limito a coordinare».

«Smettila».

«Senti, e lì invece come va?».

«Insomma. Daniele ha avuto un altro dei suoi problemi».

«Che problemi?».

«Ma niente, sai che non c'erano i suoi amichetti dell'anno scorso, no? Be', ha ascoltato il tuo consiglio e ha provato a conoscere qualcun altro. Solo che... Insomma, non so bene cosa sia successo, ma è tornato in lacrime e con un livido in faccia. Forse una sassata, non lo so».

«Una sassata?!».

«No, forse devono averlo spinto, sarà caduto contro gli scogli... Non lo so, Giacomo, ma adesso ha paura anche solo a venire in spiaggia».

«Oh Signur».

«Non so bene come fare».

«Passamelo».

«È in camera...».

«Chiamalo e passamelo. Dai».

Colnaghi attese torcendo il filo del telefono. Poi sentì la voce debole del figlio.

«Dani!», esclamò.

«Ciao».

«Ma che succede?».

«Eh», sospirò lui. Forse aveva pianto. «Le solite cose».

«Mi racconti bene cos'è successo?».

«Non mi va molto».

Colnaghi sospirò forte.

«Vuoi che venga lì?», chiese. Ma non avrebbe dovuto chiederlo! Avrebbe dovuto prendere le ferie, litigare con chiunque, ma partire subito! Era così che un padre si comportava!

«No, no!», disse subito lui, come se fosse motivo d'onta.

«Vengo volentieri, davvero. Stiamo un po' insieme».

«No».

Colnaghi provò uno sconforto abissale. Restarono in silenzio per qualche secondo.

«Papà», disse poi Daniele.

«Sono qui, ciccio. Sono qui».

«Hai presente quando preghi?».

«Certo».

«Ma secondo te, Dio ti ascolta sempre?».

«Certo, Dani».

«Sempre sempre?».

«Sempre, sì».

«E allora come mai non risponde?».

«Quante volte ciò per cui hai pregato si è avverato?».

«Alcune. Lì mi ha ascoltato, vedi».

«E quante volte non si è avverato?».

«Tantissime!».

«Be'», disse Colnaghi. «Non è che non ti stesse ascoltando. È che forse non riteneva valida o urgente la tua preghiera. Forse non era proprio quello che si dovrebbe domandare a Dio. Il Signore ascolta tutti, Daniele, e aiuta tutti. Ma non devi pensare che possa o voglia rispondere sempre: magari era impegnato altrove, con qualche altro bambino, capisci?».

Suo figlio tacque. Colnaghi lo immaginò che rifletteva profondamente, con il suo solito fare distaccato, attento, così adulto: lo immaginò con la cornetta del telefono in mano, mentre di fianco a lui andavano e venivano persone ignare del suo dolore e del dolore del padre, e del compito del padre nel mondo, e di quanto stava accadendo lì e in Italia e ovunque.

«Non mi sembra molto giusto», disse alla fine Daniele.

«E perché?».

«Perché ho pregato che mi lasciavano in pace, e invece non l'hanno fatto».

Colnaghi rimase lì, trafitto, sulla propria sedia. Non riuscì a rispondere nulla. Ebbe il desiderio fortissimo di abbracciare Daniele e assicurargli che sarebbe cresciuto e tutto sarebbe cambiato; che avrebbero riso di quel dispiacere come di tanti altri, che non doveva essere sempre così serio: ma un unico pensiero occupava tutto lo spazio delle sue ragioni, e quel pensiero era semplicissimo: *posso mandare in prigione un terrorista, ma non posso aiutare mio figlio.*

Attraversò il buio e la nebbia del coprifuoco, *un cappuccio calato sopra il paese: non un lampione, non un lume alle finestre. A un tratto un lampo aprì il cielo – un aereo. L'Ernesto si buttò a terra istintivamente. Sdraiato sul selciato quasi a farsi suolo, vide qualche altra ombra muoversi vicino al punto concordato. Deglutì aria, non aveva più saliva in bocca, si avvicinò piano: riconobbe il profilo lungo del Pagani e si sentì meglio.*

«*Beppo*», sussurrò lui.

«*Spillo*».

Si strinsero un braccio. Pronunciare i nomi che si erano scelti li rincuorava un po'. Alla spicciolata arrivarono anche il René, il figlio del Clerici e il Roveda.

«*Alura*», disse piano l'Egidio, mettendosi in mezzo agli altri. «*Ci siamo tutti. Agiamo come si è detto, va bene? Niente vaccate, la facciamo liscia. Non fatevi prendere dal panico, e se ci beccano, niente nomi. Va bene?*».

«*Va bene*», mormorarono.

«*Avete i sacchi, sì?*».

Il René indicò la sua borsa.

«*D'accordo. Via le scarpe, adesso*».

218

Se le tolsero in fretta e le buttarono in un angolo, alla rinfusa: senza far rumore, con i passi più leggeri che potevano sul selciato, si avvicinarono all'edificio. La notte era buia e solo una pozza di luce illuminava un frammento della strada. Nessuno in giro.

Il Pagani forzò la porta con un grimaldello, e fu una risposta silenziosa alla domanda che tutti si erano fatti: come faremo a entrare? Con un cenno rabbioso del capo li spinse dentro. Chiusero la porta.

Il palazzo era silenzioso e deserto. L'Egidio accese cautamente la luce di un ufficetto che non guardava sulla strada, in modo da facilitare i movimenti senza dare nell'occhio. Il figlio del Clerici rimase all'ingresso a fare da palo, spiando la strada dalla finestrella con le grate accanto alla porta. Gli altri avanzarono: l'armadio con le tessere annonarie era custodito in cancelleria. Lo forzarono in pochi istanti. Quando videro aprirsi le due ante in metallo rimasero a bocca aperta, immobili per qualche istante, come di fronte a un dipinto o a un raggio di luce improvviso.

Poi arrivò il sibilo dell'Egidio: «Dai, dai, veloci!». E loro affondarono le mani nella carta: riempirono un sacco, poi un altro, il Renato se ne infilò persino in tasca una manciata. L'operazione durò solo qualche minuto, e quando furono fuori l'Ernesto si sentì quasi paralizzato dall'adrenalina. Ce l'avevano fatta. Ce l'avevano fatta! Strinse ancora più forte il sacco.

«E ora?».

«Ora andiamo nei campi e le bruciamo».

«Subito?».

«*Per forza. Se ci beccano con 'sta roba addosso ci sparano. Muovete il culo*».

Si rimisero le scarpe – nessuno le aveva toccate – e si sparpagliarono fra le vie del centro: nel mezzo del vapore bianco e acquoso, orientandosi a memoria più che con gli occhi, all'Ernesto parve di essere il cavaliere di una fiaba. Per un istante ebbe l'istinto di perdersi, di sbagliare un incrocio, di lasciare che i suoi passi si smarrissero, leggeri com'erano. Fu a quel punto, probabilmente, che si rese davvero conto di cos'aveva fatto. L'estasi della nebbia divenne terrore puro, e lui tornò a essere soltanto un ragazzo in fuga dopo un gesto che gli poteva costare la vita: era solo, e nessun altro sarebbe giunto a salvarlo: e per che cosa, poi? Le sue scelte gli parvero una catena di eventi senza relazione e sui quali non poteva avere dominio. Ebbe la certezza di avere seguito l'Egidio Roveda non tanto perché convinto fino in fondo di ciò che sarebbe accaduto, ma perché – anche a lui, anche a lui – era stata raccontata una storia più bella di tutte quelle che aveva sentito: non più botte, non più dolori: ma la promessa di un domani che ora, ne era certo, non sarebbe mai arrivato.

Poi la sensazione scomparve, così com'era venuta, e lui tornò improvvisamente calmo. La memoria parve riconoscere i frammenti di paese che emergevano dal bianco: la piccola Madonna di un'edicola, il cartello dell'alimentari Ballabio, un palazzo abbandonato. La gamba un po' zoppa prese a correre meglio del solito: in cascina si orientò costeggiando il diametro di un cratere nel campo, lasciato da una bomba dell'agosto precedente. Giunse al luogo dell'appuntamento per primo. Aspettò ansando al crocicchio fra due sentieri, poco prima dell'imbocco per la cascina: le robinie al suo fianco erano tratti d'inchiostro appena visibili. Più in là di qualche metro poteva esserci qualsiasi cosa, il sentiero scompariva nel nulla. D'un tratto sentì delle voci e si alzò in piedi, stringendo il sacco a sé. Erano il Pagani e il René.

«Eccovi!», *ansimò*.

«Eccoci», *rispose il René*.

«Gli altri?».

«Non lo so. Arrivano, spero».

«Avete incontrato qualcuno?».

«Nessuno. Ci abbiamo messo un po' di più perché con 'sta nebbia non è facile».

Altre voci, poco dopo. Il Roveda si faceva largo agitando le braccia, borbottando qualcosa al figlio del Clerici. L'Ernesto sentì freddo.

«Di qua, avanti», *fece l'Egidio senza nemmeno guardarli*. «Dai, svelti, ostia!».

Entrarono fra le stoppie bruciate. I piedi calpestavano sassi e terra smossa e i resti anneriti dei gambi di granturco. Il figlio del Clerici inciampò e cadde a terra: il suo sacchetto si aprì e ne uscì qualche foglio. Il Roveda morse un sacramento: «Ma sei matto? Tira su tutto! Tutto, hai capito?».

Ancora qualche passo e raggiunsero il limitare di un'altra macchia d'alberi. Lì c'era una pala conficcata con un fazzoletto bianco legato al manico, a mo' di segnale. Di fianco una buca scavata di fresco e la sua montagnetta di terra.

«*Dentro qua, avanti. Dai, fioeu, che poi è finita*».

Gettarono la carta nella buca, fino a svuotare i sacchi per intero. Il figlio del Clerici tirò subito fuori un pacchetto di fiammiferi e li pose vergognoso al Roveda, come per scusarsi del capitombolo di prima: «*A te l'onore, Ulisse*».

«*A me l'onore, sicuro*», *ripeté Ulisse, l'Egidio Roveda, con un sorriso tirato, e abbassandosi sfregò lo zolfo: una fiammella apparve nella notte, e di colpo i ragazzi si videro in volto l'un l'altro: respiravano forte, e gli occhi di tutti sembravano implorare soltanto una fine rapida, un ritorno a casa, un abbraccio per dire basta a quella notte e chiamarsi soldati.*

L'Egidio buttò il fiammifero nella fossa.

20

Mentre aspettava di fronte alla trattoria el Barbìss, in una traversa a due passi dal naviglio pavese, Colnaghi vide un uomo comprare della droga da uno degli spacciatori della Conca. Si sforzò di passare lo sguardo altrove: su una grondaia malandata, un portone, l'insegna gialla di un barbiere.

Un temporale aveva rinfrescato il giorno e ora lui aspettava intirizzito, turbato dal cambio d'aria, cercando di scaldarsi con il fumo della pipa. Da una strada parallela o perpendicolare, più a sud, salirono le grida confuse di una rissa. Era ancora il quartiere della ligera, dopotutto, anche se stava cambiando. Finalmente Roberto Doni sbucò dal fondo della via: Colnaghi agitò una mano e gli andò incontro. Si abbracciarono.

«Ehi!».

«Allora, Giacomo?».

«Tutto bene. Tutto bene».

«E ci credo. Ancora complimenti, a proposito».

«Un bel lavoro di squadra», disse. Poi alzò un pollice dietro di sé: «Di', in che razza di posto mi hai portato?».

«Non ti piace? Pensavo volessi qualcosa di autentico».

«No, no, va benone. Lo prenderò con ironia».

La trattoria era meno peggio di quanto Colnaghi avesse pensato giudicandola da fuori: anzi, aveva un colore molto intimo. La clientela era mista: qualche quarantenne un po' strambo in giacca e occhialoni di plastica, un paio di ragazzi, cinque donne giovani che stavano finendo un grande piatto di formaggi, due o tre tavoli composti da gente anziana. La serata improvvisamente autunnale dava al soffitto in legno un senso particolare. Al tavolo ordinarono quasi tutto quello che l'oste proponeva, e quando cominciarono ad arrivare i piatti Colnaghi zittì l'amico che gli faceva domande sul caso Vissani alzando una mano: «Ora sta' buono un attimo e goditi la marcia reale».

Gli antipasti. Un tagliere di ceramica dai bordi blu coperto di fette di salame a grana grossa, onde sottili di prosciutto crudo, e un pezzo irregolare di parmigiano. La moglie dell'oste passò con un paniere colmo di grissini. Ne assaggiarono uno: era caldo e croccante, con un vago aroma di rosmarino.

I due magistrati cominciarono a mangiare in silenzio, e ripresero a parlare solo quando arrivò il primo – un vassoio di risotto allo zafferano che la moglie dell'oste distribuì di persona in parti eguali. Colnaghi applaudì.

«Meno male che l'aria si è rinfrescata», disse Doni piantando la forchetta nel piatto. «Spero di non aver fatto un errore. Come dici, tu? "Eccezioni sempre, errori mai"».

«Esattamente».

«Questa è un'eccezione, giusto?».

«Una delle migliori, Roberto».

Colnaghi versò dell'altro vino per entrambi. Si sentiva già un po' brillo. Il suo era un regno lucido, ben strutturato. L'alcool introdusse una variabile imprevista, che cambiava segno di minuto in minuto: ora si sentiva felice, lieto, soddisfatto di essere lì: ora invece lo catturavano le peggiori inquietudini degli ultimi mesi.

Mangiarono il riso in fretta, affamati come ragazzini, quasi senza parlare. Alla fine Doni spezzò un grissino e si lasciò andare sulla sedia, già sazio e sorridente, mentre l'oste annunciava che a breve sarebbe arrivata la bistecca. Colnaghi invece era nel pieno della fase cupa della sua altalena.

«A che pensi?», chiese Doni.

«Eh? Niente. Lavoro, le solite cose».

«Sei preoccupato per qualcosa in particolare?».

«No, no».

«Ti farai dare la scorta?».

Anche Colnaghi prese un grissino e cominciò a spezzarlo in quattro parti uguali: «Ne discutevo giusto l'altro giorno con il capo», disse. «E comunque la risposta è no».

Doni alzò le mani: «Non aggiungo altro e non provo a convincerti».

Colnaghi sorrise. Attese qualche istante, poi disse: «Senti, con te ne posso parlare».

«Di che?».

«Dico, ne posso parlare apertamente».

«Certo, ma di cosa?».

Colnaghi si guardò attorno e sospirò: «So che non ti piacerà questo discorso, e che tu sei più uno da procedure e dettagli. Ma più lavoro sulla lotta armata, e più sento che devo capire perché lo fanno, questi ragazzi. Indagarne le ragioni».

Doni si sporse in avanti: «Giacomo, ma... Le *ragioni*? Stai scherzando?».

«Aspetta. Aspetta, ti prego, fammi parlare». Riprese a spezzare il grissino, le quattro parti divennero rapidamente otto. Poi alzò gli occhi: «Sai cosa ho sempre in testa? Le loro grida quando l'anno scorso, in tribunale, Spataro ha chiesto di leggere una nota di commemorazione per Guido Galli. Ridevano! L'avevano ucciso e fischiavano, e ridevano, e urlavano. Come può una persona comportarsi così? È terribile». Fece una smorfia. «Ma nella loro ottica, anche questo è giustificato; tutto è giustificato, perché dicono di agire per il bene del popolo. Pensano davvero di essere i buoni, capisci? O prendiamo sul serio queste intenzioni, oppure non li sconfiggeremo mai».

Doni tornò ad allungare la schiena contro la sedia; si grattò il labbro inferiore: «E quindi?», chiese.

«In realtà il discorso è molto semplice, almeno dal punto di vista teorico. Se noi riusciamo a individuare quel – quella sorta di ideale distorto, diciamo – e a dissolverlo, o quantomeno mostrarne l'assurdità, il problema è risolto alla radice. Altrimenti qual è la soluzione? Li prendiamo tutti, li mettiamo in prigione, e poi? Ne arriveranno altri. Magari diversi, magari più forti, magari no: continuiamo le indagini, prendiamo anche loro e li mettiamo in prigione. Benissimo. E altri ancora ne arriveranno, e ammazzeranno altre persone, e tutti diranno: che ha fatto lo Stato? A che gioco stiamo giocando? E allora ecco pronte altre leggi, ancora più repressive e poliziesche – sai bene come va a finire in questo paese. E il rancore porterà a nuovo rancore, e così via... No, finché non avremo trovato una soluzione all'odio, non finirà mai davvero».

«Giacomo, ma non è affare nostro».

L'oste li interruppe con due piatti larghi sopra cui fumavano delle bistecche già incise sulla superficie croccante: a lato, una manciata di insalata verde e due pomodori freschi spaccati a metà. Colnaghi ebbe un piccolo rigurgito, qualcosa di acido gli salì in gola, poi si decise ad attaccare la carne con pazienza.

«Quello che voglio dire», riprese Colnaghi, «è che il sistema della punizione ha un limite. E questo riguarda anche noi – come magistrati, intendo. Bisogna...».

«Non dirmi che bisogna perdonare, ti prego. Ti prego, ti *scongiuro* di non dirmi niente di simile perché è un'idiozia e non ci credi nemmeno tu».

«Ma figurati. Il perdono è affare delle anime, e delle anime noi non ci occupiamo. Ma mi preoccupa il modo in cui pensiamo tutti, sempre: oh, diciamo, sei, sette anni di prigione sono pochi. Allora quanti ne diamo? Dieci? Quindici? No, la verità è che non basta mai. Mai. È solo un modo annacquato per dire: *a vita*. Anzi, *a morte*! E come dargli torto? Un uomo che violenta due donne, ha diritto a essere libero dopo la detenzione?».

«Giacomo...».

«E un assassino plurimo?», proseguì Colnaghi, agitando la forchetta: «E un terrorista? Ma guarda cosa dicevano proprio *loro*, quando hanno ucciso Coco. Te le ricordi le grida, in strada? "Coco, Coco, Coco! È ancora troppo poco!". Bene: allora *quanto* sarà sufficiente a placare tutta quella rabbia? E viceversa, quanti anni di galera saranno sufficienti a placare il lutto di chi ha perso una persona per assassinio? Non se ne esce. Versami del vino, va'».

Doni sollevò la bottiglia: «Giacomo, di nuovo: non è il nostro compito. Se cominciamo a perderci in questioni del genere, è la fine – e invece di lavorare a un processo, ti ritrovi a fantasticare su cosa siano il bene e il male, e arrivederci».

Colnaghi fece un sorso, scosse la testa con energia: «Ma davvero per te si riduce tutto a questo? A prendere il cattivo e condannarlo, e "giustizia è fatta"?». Poi tagliò un altro pezzo di bistecca. Si sentiva accaldato e confuso, tutti gli eventi degli ultimi due mesi si rincorrevano nella sua testa. «Sai, il mio amico Mario – il libraio, ricordi? – mi ha regalato un libro, *Diario di un giudice*. L'ha scritto un tale Dante Troisi. L'hai letto?».

«Non leggo molto, a essere sincero».

«Be', è la storia di un giudice di provincia, negli anni Cinquanta. A un certo punto dice: "La mia funzione è controllare l'ago che indica il peso delle persone che cadono nella nostra bilancia e gridare i numeri". L'ho mandata a memoria, da tanto mi ha colpito. Noi dobbiamo evitare in tutti i modi di essere così, capisci, Roberto?». Iniziò a masticare, strinse i denti per isolare un pezzo di grasso, quindi lo prese e lo gettò sul piatto con le dita. «Se cominciamo a gridare i numeri, è finita davvero. Forse è quello che la gente vuole da noi, e credo che la stragrande maggioranza dei magistrati, di fondo, la pensi così. Ma allora tanto vale. Allora non c'è più differenza: dipende tutto dal metro che vuoi applicare, dal potere che ci domina in un certo momento», disse, pulendosi le mani nel tovagliolo. «Un magistrato non dovrebbe mai ridursi a questo. Siamo le uniche persone che possono rimettere insieme in qualche modo i pezzi di ciò che è andato in frantumi. Una morte, un furto, una qualsiasi violenza: anche la più piccola. È tutto sotto la nostra responsabilità, Roberto: aiutare le persone, non trattarle come parti nel gioco del processo. Eccezioni sempre, errori mai».

Doni sorrise: «Sei un idealista, Giacomo. Non c'è niente di male, in questo, anzi. Ma sei un idealista; e forse sei anche un po' brillo».

«Sono me stesso», annunciò Colnaghi alzando di nuovo il bicchiere al cielo.

«È utopia, dammi retta. Ma con l'utopia non ci facciamo niente».

«E questo è cinismo. Senti, qualche settimana fa stavo interrogando una di loro. A dire il vero non sono nemmeno riuscito a cominciare: come le ho fatto una domanda, lei mi ha dato della merda borghese eccetera eccetera, e alla fine mi ha sputato addosso».

«Oh Signore».

Colnaghi alzò le spalle. «Succede. Il punto è che ho pensato: io non sono quella roba lì. Non sono un nemico del proletariato, anche se penso che il comunismo sia un abominio. Sono un uomo dello Stato, ma vedo bene come questo Stato abbia bisogno di riacquistare molta credibilità. Chi sono, allora? Guardami. Avrei tutti i requisiti. Padre partigiano, infanzia in provincia e senza una lira, sirene della politica ascoltate da giovane, desiderio sfrenato di rinnovamento sociale. Perché non sono diventato un fanatico rivoluzionario? Perché, partendo da luoghi simili, due persone arrivano a dei punti completamente opposti?».

«Ma che discorsi sono! Perché non siamo soltanto il posto da cui veniamo, o la famiglia in cui cresciamo. Perché siamo liberi, cazzo, e tu hai scelto liberamente di essere una persona migliore».

Colnaghi lo fissò colpito, mentre Doni scuoteva la testa: «Ecco la differenza fra di noi. Tu vuoi provare a capirli a tutti i costi. E del resto sei fatto così: ti metteresti a discutere persino con il diavolo in persona, pur di convertirlo. Io invece guardo ai fatti. Chiamami pure cinico, se vuoi, ma è così: sono dei criminali? Lo sono. Fine del discorso. Le tue sono cose da prete». Bevve del vino. «Mi sa che dovevi fare il prete».

Colnaghi alzò la testa: «Come hai detto?».

«Ho detto che secondo me dovevi fare il prete».

Un sorriso: «Non ci crederai, ma me l'hanno già detto».

«Ci credo eccome».

«Secondo te sarei stato un buon prete?».

Doni gli strinse un braccio: «Un prete magnifico. Ti avrei preso a calci nel sedere dalla mattina alla sera».

Colnaghi ridacchiò, poi strizzò gli occhi all'improvviso, come sorpreso. «Ma quanto abbiamo bevuto?», chiese.

«Eh. Un po'».

«Un po' quanto?».

«Abbastanza».

Colnaghi accese la pipa e si stravaccò sulla sedia. Il buonumore era tornato.

«In ogni caso, ne avevo bisogno. Tu bevi spesso?», chiese.

«Di rado».

«Io quasi mai. Ma ne avevo bisogno».

«Mio padre si è sempre fatto un bicchiere ogni sera, appena tornato da lavoro. Sai, il classico bicchiere che ti distende i nervi».

«Mio nonno era un mezzo alcolizzato».

«Davvero?».

«Un uomo orribile».

Doni si limitò ad annuire. Colnaghi ora giocava con uno stuzzicadenti e stringeva forte la pipa fra i denti. Un cameriere fece cadere una brocca di vino sfuso che si frantumò sul pavimento. Una macchia scura arrivò fino a lambire il loro tavolo: sollevarono i piedi per evitarla, il cameriere tornò subito con uno straccio, l'oste si scusò con i clienti e diede al ragazzo un ceffone dietro le orecchie.

A un certo punto Colnaghi disse: «Lo sai che mia madre, quand'ero piccolo, aveva istituito per me e mia sorella una giornata dedicata solo alle scuse?».

«Alle scuse?».

«Lo faccio anche ora, per la verità. Comunque: un giorno all'anno ci si mette lì e si fa un elenco personalissimo di tutte le volte che pensiamo di avere sbagliato o fatto del male a qualcuno, e si domanda perdono a

Dio. E naturalmente, si prende l'impegno di scusarsi anche con la persona offesa».

«Non me l'avevi mai detto».

«Non credo di averlo detto a nessuno. Però è una pratica interessante, non trovi?».

«Insomma».

«Da piccoli, per me e mia sorella, era una specie di ossessione. Era nostra madre a dirci quando e come farla. Non so perché te lo racconto, in effetti. Ma sarebbe bello che tutti, almeno una volta ogni tanto, si mettessero lì a elencare le proprie mancanze, con calma, e cercare di capire come porvi rimedio. No?».

Doni lo guardò perplesso. L'oste passò a chiedere se andava tutto bene, ed entrambi annuirono convinti. Spazzando via una nuvola di fumo, Colnaghi si rese conto di avere blaterato un po' troppo.

«Vabbè», disse battendo le mani sul tavolo. «Hai portato foto della tua piccola? Fammi vedere qualche foto, va'».

Doni tirò fuori dal portafoglio due immagini: uno scatto dove la moglie abbracciava la figlia su uno scoglio, e uno in casa, dove giocavano sul divano. La bimba era il ritratto della moglie di Doni, Claudia, una donna minuta e affascinante che non vedeva ormai da diverso tempo.

«Bella, vero?», disse Doni sorridendo.

«Si somigliano moltissimo. Per fortuna non ha preso niente da te».

«Ah, ah».

«Quanti anni?».

«Due».

«Come Giovanni».

«Abbiamo delle belle famiglie».

«Sì», disse Colnaghi, e gli diede una pacca sulla spalla. «Siamo persone fortunate».

Doni convenne. Per un po' rimasero in silenzio, catturati dai dettagli della sala. I pochi tavoli si erano riempiti e c'era un gran vociare. L'odore di carne alla griglia si mescolava a quello delle sigarette e ogni tanto un brivido d'aria fresca giungeva da chi apriva la porta per entrare, uscire o stare semplicemente all'uscio per due chiacchiere.

L'oste si avvicinò chiedendo loro se volevano un amaro. Colnaghi annuì, mentre Doni protestò: «Giacomo, dai, devo guidare».

«Eh, no. Senza amaro non si chiude il pasto. Non *questo* pasto, almeno».

«E va bene».

Lo finirono in due sorsi. Alzarsi fu più complicato del previsto. Al bancone cercarono di offrirsi la cena a vicenda, poi si accordarono per una spartizione alla romana e infine Colnaghi provò uno sketch da oratorio offrendo a Doni di uscire per primo impedendogli poi di passare sulla porta. Lo ripeté due volte finché l'amico non lo scansò via ridendo.

«Ho parlato solo io», disse Colnaghi sull'uscio. «Dimmi qualcosa di te. Dimmi delle tue speranze, dei tuoi sogni, di questo fantastico trasferimento a Gallarate».

«Non è che abbia molto da dire. Sai che sono uno di poche parole».

«Ma ho monopolizzato il discorso».

«Hai monopolizzato anche il vino; e del resto sei tu il magistrato di grido, non io».

Colnaghi scoppiò a ridere: «Ma va' a remengo, Roberto».

Fuori la strada era quasi deserta. Un paio di zanzare che sembravano non aspettare altro li aggredirono: Doni si tirò uno schiaffo leggero al collo. Da un cortile semiaperto giunse una risata, poi una ragazza mise fuori la testa e il manubrio di una bici: lei e un'amica scattarono fuori.

I due si diressero verso il centro. Colnaghi respirò a fondo l'aria limpida della notte, quindi prese Doni sottobraccio: camminarono così, un po' ubriachi, fra le strade spezzettate del quartiere, in mezzo a studenti universitari e vecchi e gatti che spuntavano all'angolo prima di infilarsi tra le maglie di un cancello: verso la fermata della metropolitana e le loro rispettive vite, promettendo di rivedersi ancora, di andare a cena più spesso ora che Roberto sarebbe venuto a Gallarate: ogni cosa – dalle macchie di luce dei lampioni al colore del selciato – congiurava a rendere Colnaghi leggero. E tutta la città gli apparve, nel momento del saluto, uno spazio interamente amico.

21

Lo sentiva alle spalle, ma non aveva tempo di voltarsi. Sapeva che il solo movimento del busto gli avrebbe fatto perdere un attimo di slancio, quel tanto che bastava a Mario per riprenderlo, persino di superarlo. Il ciclismo non era altro che sofferenza. Una volta Doni gli aveva chiesto come fosse possibile amare uno sport del genere: a lui non piaceva nemmeno il calcio, ma almeno poteva comprenderlo – c'era della tattica, c'era uno spazio ristretto dove giocare – ma andare in bici! Colnaghi aveva sorriso. Era inutile provare a spiegarlo; e ancora più inutile provarci con Doni.

Strinse i denti fino a sentire un dolore acuto in fondo alla mascella. Buttò giù una sorsata d'aria ma si accorse di avere un blocco all'altezza dello sterno: il fiato non scendeva. All'ultima curva vide finalmente gli alberi diradarsi e la cima pelata del colle. Si giocò un affondo disperato, alzandosi inferocito sui pedali, e avrebbe persino urlato se gli fosse rimasto qualcosa nei polmoni: vide bianco, scosse la testa per levarsi il bianco di torno e coprì gli ultimi dieci metri.

Sentì Mario dargli del bastardo da lontano, mentre scendeva dalla sella e si lasciava cadere a terra: aveva vinto. Rimase per qualche istante a faccia in su e guardò il cielo boccheggiando. L'aria era fresca e la luce ancora più violenta. Mario lo raggiunse dopo qualche istante, e crollò ansando al suo fianco, il volto affondato nell'erba.

«Cazzo», sibilò. «Cazzo, stiamo davvero invecchiando».

Colnaghi si alzò puntando i gomiti a terra, e appoggiato agli avambracci contemplò la valle. La tavolozza di colori era limitata, ma intensa: il verde delle Prealpi conosceva poche sfumature. Un frammento di lago, una piccola coda azzurra, macchiava appena il lato sinistro dell'orizzonte. Colnaghi provò infinita gratitudine di fronte a quel paesaggio.

«Sei andato su meglio di Mercx!», disse Mario, frugando nello zaino e tirando fuori una borraccia di plastica rossa. Fece un lungo sorso e la passò all'amico.«A un certo punto non ti ho visto più. Meglio di Mercx», ripeté.

«Ma se mi sei rimasto attaccato fino alla fine».

«No, ho recuperato soltanto nell'ultimo pezzo, perché eri stanco. Devi imparare a dosare meglio le forze. Il ciclismo è strategia», sentenziò.

Colnaghi rise, strappò una manciata d'erba e gliela gettò in faccia: «Intanto hai perso, stratega. Goditi il panorama, piuttosto».

Mario sbuffò e rimase zitto per qualche minuto, incapace di vedere ciò che Colnaghi vedeva: la natura per lui era muta. Tirò fuori dallo zaino due panini e tolse la carta oleata da entrambi. Colnaghi ne prese uno e lo addentò: prosciutto crudo e formaggio di malga. Ebbe l'impressione di non avere mai mangiato nulla di simile in vita sua, nulla di così buono.

«E allora», disse. «Ti piace questa festa di compleanno?».

«Non è male. Certo, avresti potuto portare qualche ballerina del varietà».

«Sono proprio l'uomo giusto».

Finirono i panini. Colnaghi aprì il suo zaino e pescò due mele verdi. Al morso erano dure e fresche e aspre. Le mangiarono in silenzio guardando verso nord. Un falchetto, o forse era solo un grosso corvo, passò in volo sopra di loro. L'erba scottava e pizzicava da tanto era caldo.

«Senti», disse Mario a un certo punto. «Hai ripensato se farmi quel favore?».

«Quale?».

«Lo sai benissimo quale. Prendere la tessera e darmi una mano».

«Ancora con questa storia? Ti ho già detto di no».

«Giacomo, ma è importante! E a te costa così poco: consideralo un regalo di compleanno, eh?».

«Quello che dovrebbe essere importante è la tua vita, Mario, e non capisco perché ti ostini a sprecarla così».

Lui lo fissò meravigliato. Forse la frase era uscita più dura del previsto: ma Colnaghi si sentì in dovere di reggere il tono.

«Voglio dire. Perché cavolo continui con queste beghe? Lo capisci che non ti portano da nessuna parte?

237

Cerca un modo per essere felice, per fare qualcosa in cui credi veramente, invece di stare dietro a quei deficienti. Ma li vedi? Sono tutto quello che abbiamo sempre odiato. Grigi, tristi, cupi. Una mano lava l'altra. Un favore per me e uno per te. Inoltre non ti hanno mai perdonato».

«E tu?».

«Io cosa?».

«E tu, mi hai perdonato?».

Colnaghi strizzò le sopracciglia: «Ma che stai dicendo?».

«Niente. Forse nemmeno tu mi hai mai perdonato per il divorzio».

«Non è vero. Però non posso nemmeno dirti che sono d'accordo con quello che hai fatto. Va contro tutti i miei principi: ma questo è quanto. Tu sei tu e io sono io. E io non lo farei mai – nemmeno se la Mirella mi mettesse le corna».

Mario fischiettò. Colnaghi gli gettò un'altra manciata d'erba in faccia. Lui se la tolse di dosso e riprese: «Certo che non lo faresti mai. Nessun bravo cristiano lo farebbe, vero? Per quello nemmeno tu riesci a mandarla giù». Fece una brutta smorfia. «Ma nessuno ha mai capito quanto è stato difficile per me, e per lei. Quanto è stato terrificante, quanto anch'io mi senta in colpa».

«Ma lo *so*! C'ero io, lì con te, se ricordi. Ero io quello che ti ascoltava e ti aiutava anche quando avrebbe voluto solo prenderti a calci».

«Va bene, va bene».

«Non riesco a credere che stiamo ancora parlando di questa storia».

«Mi sono innamorato di una tizia», disse Mario.

«Eh?».

«Mi sono innamorato. Di una tizia. Si chiama Cristina, è di Milano – sta in Porta Volta, per la precisione. Fa l'assistente in uno studio di avvocati in centro. Carina, sai? Ventotto anni. Bionda. *E mì la dona bionda la voeuri nooo*», si mise a canticchiare.

«Mario...».

«È un po' oca, forse. Ma a quanto pare non mi restano che le oche». Sorrise. «Giacomino, hai ragione tu. Sono proprio un pirla e ho buttato via la mia esistenza, e più ci penso più non capisco. Ti ricordi com'eravamo belli quindici anni fa? Cacchio, eravamo belli sul serio. Pieni di sogni, pieni di passione... Ed è per questo che passo il mio compleanno con te e non con lei. Perché lei è un'oca, e tu sei il mio migliore amico».

Colnaghi non disse nulla, si limitò a fare un sorriso di rimando e alzare le spalle. Da quanti anni si conoscevano? Gli sembrava di averlo avuto di fianco da sempre: mentre rubavano le pannocchie dai campi alle elementari, mentre ne fumavano le barbe alle medie, quando sognavano la loro rivoluzione morale a vent'anni.

Guardò una formica scalare lentamente la sua mano destra: sollevò il braccio e con un soffio la fece ricadere a terra. Il sudore si era asciugato. Prese un altro sorso d'acqua dalla borraccia.

«Devo portare la Mirella a Londra», disse poi.

«Come dici?».

«È preoccupata e non posso darle tutti i torti. Quindi devo portarla a Londra. Gliel'ho promesso. Secondo te quanto costa un volo per Londra?».

«Eh, parecchio, credo».

«Devo informarmi».

«Vedi? È sempre un po' un macello, con le donne. Anche se sei bravo e bello e buono come te».

«Ma va' a da' via i ciapp, va'».

Mario si alzò, pulì i pantaloni dai fili d'erba rimasti attaccati, e si stirò nella luce.

«Allora», disse Colnaghi guardandolo. «Scendiamo o devi ancora tirare il fiato?».

«Io sono pronto. E tu, mezza pippa? La vittoria ti ha segato le gambe?».

«Te le sego io, le gambe».

«Bravo. Vediamo chi arriva primo anche stavolta?».

«Non ti conviene: lo sai che alla fine hai sempre paura e tiri i freni sulle curve. Non ce la fai a lasciarti andare».

«Ah. Scommettiamo?».

Colnaghi sorrise e gli tese una mano. Mario allungò la sua: lui si appese e balzò in piedi.

«Scommettiamo», disse.

A questo punto la storia si confonde, le fonti non ci sono più o sono di terza e quarta mano, ed è come se la fine di tutto fosse respinta indietro in un territorio confuso, in una zona d'ombra che nessuno mai potrà illuminare fino in fondo. A Colnaghi l'hanno raccontata a volte così, a volte sfumando i toni, a volte invece incendiandoli: a seconda che la madre volesse un marito irresponsabile o almeno un po' eroico, e che gli amici fossero più o meno accalorati nel parlare di un uomo a cui tutti dovevano qualcosa. Questa è dunque una versione fra le tante, più o meno vera, più o meno attendibile: e del resto, che importa? La sua fine non cambia mai.

Cinque giorni dopo la missione delle tessere annonarie, presero per strada l'Ernesto, il Pagani e il Michelino Brusaferri. I militi non diedero loro il tempo di difendersi, di parlare, di tornare a casa e salutare le famiglie, di spiegare ai passanti cosa stesse succedendo. Li presero e basta, le rivoltelle ferme contro le tempie.

Il viaggio fu breve. Alla caserma di Mozzate li fecero scendere. Nessuno di loro sembrava pronto a ribellarsi:

solo il Pagani li guardava in cagnesco, sputava per terra in segno di disprezzo. Il Michelino, appena sedicenne, era terrorizzato e l'Ernesto lo teneva per un braccio, cercando di fargli coraggio.

Entrarono nella caserma: era pulita e quasi deserta. In fondo alla sala c'era un ritratto del duce, e di fianco una scrivania alla quale sedeva un brigadiere. I militi ordinarono ai tre di mettersi in ginocchio e tenere le braccia alzate. Il brigadiere tossì e si alzò; fece quattro passi lentissimi senza alcuna espressione, poi prese il Pagani per i capelli e tirò forte: «Allora, merda?».

Lui non rispose. L'Ernesto vide il suo collo tirarsi come una corda, ma non rispose.

«Va' che sappiamo chi sei, merda. Si sentono proprio delle belle voci su di te, lo sai? Su di te e sui tuoi amichetti, come questi qua. Dai, facci vedere che sei uno dei buoni. Guarda il duce e giura. Facci vedere che sei uno di noi».

Lui tacque.

«Ti ho detto di giurare! Giura sulla Repubblica, merda de l'ostia!».

Tacque. Volò il primo colpo di manganello, sulle ginocchia. Il Pagani cadde a terra e rotolò su un fianco.

«Ne volete anche voi? Guardate che da qua non uscite vivi, capito?».

«Andì a cagà, bestie!», gridò l'Ernesto, stupito lui stesso da quel grido. Gli arrivò il calcio del fucile in bocca. Si portò le mani al viso e finì in ginocchio, e il brigadiere lo finì a terra con una scarpata.

«Lasciatelo stare, non abbiamo fatto niente!», disse il Michelino con un filo di voce. Era l'unico dei tre che non

242

c'entrava nulla: aveva appena scioperato qualche volta, e gli piaceva ascoltare i racconti dell'Ernesto, ma era sempre stato in disparte.

«Chi ti ha chiesto qualcosa?», disse il milite, sempre lo stesso. «Eh? Mi dici chi ti ha detto di parlare, merdina?».

«Non abbiamo fatto niente!», pianse. Poi alzò la mano, basta, basta, disse, e giurò. Giurò sul duce e disse che per lui la Repubblica era una sola, amava l'Italia, avrebbe fatto qualunque cosa, solo che lo lasciassero stare per favore.

«Così si ragiona», disse il milite soddisfatto. «E voi due, merde?».

L'Ernesto e il Pagani no. Si beccarono altre cinque bastonate sulle gambe, ma niente. Il brigadiere, con la faccia quasi triste, li prese da parte. «Adesso vi ammazziamo», disse.

Il Pagani continuava a tacere. L'Ernesto pensava alle more di gelso che avevano visto strada facendo: le more marce nell'argine lungo la strada. Il loro colore, il sapore aspro che avevano quando le mordevi. Pensava a questo e a nient'altro.

«Vi ammazziamo», ripeté il brigadiere, e stavolta non era più una minaccia.

La condanna era stata pronunciata. Ora tutti sembravano più calmi. L'Ernesto strinse gli occhi. Oh, al confronto era stato tutto facile, fino a quel momento. Era stato facile in fabbrica, facile con l'Egidio Roveda di fianco, e facile persino anche rubare e bruciare le tessere annonarie. Ma era solo adesso che il mondo l'avrebbe giudicato come uomo.

Tornò ad alzarsi in piedi. Tremava.

Quello che accadde poi è quasi impossibile, e Colnaghi ne sarebbe stato cosciente: dopotutto era lui l'unico custode di quell'impossibile.

Forse i militi li lasciarono soli per una trentina di secondi. Forse l'Ernesto riuscì ad avvicinarsi alla scrivania: rubò un foglietto, intinse al volo la penna nel calamaio e ci scrisse su la prima cosa che gli venne in mente. Forse andò così, o forse più probabilmente l'aveva preparato prima e lo teneva sempre con sé. Chissà: è un mistero e verso i misteri bisogna portare rispetto. L'unica cosa certa che rimane è quel biglietto con sopra scritto Dai un bacio a Giacomo. Nient'altro. Lo passò svelto al Michelino dicendogli cosa farne, un attimo prima che i fascisti tornassero: lui lo prese, allungò l'altra mano per stringerlo, ma l'Ernesto si voltò.

I militi li separarono. Loro andarono da una parte, Michelino dall'altra. Accadde tutto molto in fretta; l'Ernesto lo vide sparire fuori dalla porta, nella luce bianca dell'inverno. Non gli faranno niente, si disse. Non gli faranno niente, tornerà a casa, darà il biglietto alla Lucia e a posto così: è solo un ragazzo, non gli faranno niente, lui non sa nulla, non dirà niente, andrà tutto bene andrà tutto bene andrà tutto bene.

Cinque minuti dopo, l'Ernesto e il Pagani furono chiusi in una cella. Un altro milite, un biondo, iniziò a prenderli a calci. Poi tornarono quelli di prima e ricominciarono con le bastonate. L'Ernesto sentì le lacrime agli occhi dal male, si morse la lingua per non urlare, poi urlò per non soffocare. Il Pagani, invece, sempre zitto. Solo quando gli spensero una sigaretta sul collo sibilò qualcosa.

«Cos'hai detto, merda?», fece uno di loro.

«Dicevo che tua madre è una cagna impestata», rispose il Pagani tranquillo. Gli fecero saltare due denti con uno scarpone. Poi continuarono con il calcio del fucile sulla testa.

Restarono a terra per un'ora almeno. L'Ernesto svenne, poi riacquistò coscienza, poi si lasciò andare di nuovo. A un certo punto qualcuno li aiutò a rialzarsi e li fece camminare fuori, nel cortile, e poi nello spiazzo di fronte alla caserma. Una camionetta li aspettava col motore acceso.

«Questi?», disse il guidatore.

«Vanno via anche loro», disse il milite biondo.

Il guidatore li guardò e fece una smorfia triste: l'Ernesto gli fu grato, perché tremava dal terrore, e anche quella smorfia gli sembrò un regalo enorme, il suo ultimo regalo sotto il cielo. Aveva freddo. La nebbia era bassa sui campi.

«Avanti!», gridò il milite biondo, spingendolo con il calcio del fucile.

Il Pagani salì per primo, l'Ernesto per secondo, e finì lì.

Finì lì: non fece altre azioni, non fu un eroe dei boschi o un comandante ricordato nei libri di storia: non vide il bombardamento alleato alla polveriera di Ceriano Laghetto, non vide il 25 aprile, né cantò l'Internazionale con l'Egidio Roveda. Non abbracciò l'amico badogliano tornato dal campo di San Giorgio di Mantova dopo tre giorni a piedi e la nausea per aver dormito nel fieno cotto: e nemmeno chi, tradotto a Como e scappato dal battello, aveva passato l'ultimo anno di guerra nella cantina di una vecchia serva svizzera, o i due dispersi evasi dalla Germania, magri come finferli, che si erano fermati in Piemonte e avevano

*combattuto lì con una brigata locale. Non rivide tutti
quelli che tornarono dalla Russia, dalla linea gotica o
dalla Libia, come il fratello del Pagani. Non salutò la
staffetta Teresa che saltava in cima al carro degli americani
il primo maggio, né strinse la mano al professor Meroni,
che pubblicò sul quotidiano locale una serie di pezzi dal
titolo «Ripulire le rovine». Non vide il sole della primavera
che avrebbe invaso il grano di quell'anno, né la Lucia o
l'Angela, e nemmeno il suo piccolo, adorato Giacomino.
Finì lì, per sempre, fuori dalla caserma di Mozzate.*

E poi?

*Poi forse saltò giù dopo tre curve, si rotolò a terra e
provò a fuggire in un intrico di rovi, ma un proiettile lo
beccò sulla gamba, un secondo alla schiena, e altri ancora
mentre gridava cercando di scappare, di tornare a casa, di
ricominciare da capo e lottare, e il suo corpo fradicio di
brina fu recuperato soltanto la mattina dopo, da un contadino che ne ebbe pietà; tornò in paese avvolto in un
sacco di iuta, mentre la gente taceva di paura o si toglieva
il cappello, e suo suocero diceva che era morto per niente,
e i suoi amici in lacrime dicevano che era morto per
l'Italia, per la causa, per la libertà.*

*Ma nelle lunghe sere della sua adolescenza, a Colnaghi
piaceva pensare che suo padre fosse morto semplicemente
perché amava suo figlio.*

22

Al ponte di via Palmanova un gruppetto di persone
stava giocando a dadi. Alcuni sedevano sui calcagni,
altri giravano intorno alle tre o quattro partite in corso,
inseguendo i dadi che rotolavano: era un'abitudine dei
disoccupati della zona. Colnaghi li guardava su una
panchina al lato opposto di piazza Sire Raul. Erano
passati dieci giorni dall'arresto di Meraviglia. Il magistrato raccolse da terra una monetina da dieci lire e la
rigirò fra le mani. Sondò la zigrinatura e poi se la mise
in tasca, quindi alzò gli occhi. Il cielo sembrava intonaco
ed era percorso da un intrico di fili dell'elettricità.
Due piccioni screziati si misero a tubare nell'erba al
suo fianco.

Dall'altra parte della strada sentì di colpo un grido
di saluto: era Giovanni Ferri, il tranviere del bar. Colnaghi sorrise. Ferri attraversò la strada: la pancia gonfia
disegnava una curva sotto la camicia a quadri, e in
testa, nonostante il caldo, aveva il solito berretto di
lavoro. I pantaloni erano sporchi e cadevano fino alle
suole.

«Salve, dottore», disse.

«Salve», rispose Colnaghi, alzandosi.

Si accese una sigaretta e ne offrì una al magistrato. Lui rifiutò e prese la pipa dalla tasca: «Ho questa», disse. Prese invece l'accendino e tirò qualche boccata. Il fumo violaceo dei due uomini, uno più denso e l'altro più fine, si mischiò in aria.

«Come va?», chiese al Ferri.

Lui sospirò: «Insomma, qualche tribolo in famiglia».

«Che succede?».

«Mah, è un momento strano. Da una parte, vado in pensione fra due giorni. Dall'altra, c'è mia nipote che mi dà un sacco da pensare. Droga, sa». Abbassò la voce. «Eroina».

Colnaghi portò una mano alla bocca.

«Mi dispiace moltissimo», disse.

Lui alzò le spalle: «Sedici anni. Si rende conto? Ed è già stata in comunità, ma niente, niente... Siamo sempre stati una famiglia a posto. Abbiamo sempre lavorato, sempre rispettato tutti. Mio figlio avrà la sua età. L'ha avuta che era ancora giovane, mia nipote, ed è sempre stata la principessa della casa. E non è bastato. L'educazione, la scuola, i soldi da parte... E non è bastato».

Colnaghi fu sorpreso dalla confessione improvvisa dell'uomo. La sua storia, su cui aveva fantasticato per più di un anno, ora gli era giunta direttamente fra le mani.

«Mi dispiace», ripeté. «È davvero una cosa terribile. Ma forse, cercando un altro centro...».

«Vedremo, vedremo», tagliò corto il Ferri, che sembrava avere ripreso il solito tono cordiale. Gli sorrise: «Senta, io sto andando giù al deposito: non sono di turno, ma devo cominciare a fare il giro dei saluti. Sa com'è».

«Certo. La pensione... Io ne ho ancora parecchia, di strada da fare».

«Non bisogna avere premura», suggerì il Ferri. «Se un lavoro piace, bisogna goderselo fino in fondo. Il suo lavoro le piace? Io la chiamo *dottore* perché l'ho sentita chiamare così dal nostro barista, ma non so cosa fa».

«Io... L'insegnante».

«Ah, che bello. E cosa insegna?».

«Inglese. Alle scuole medie».

«Capperi», fischiò lui. «Io non so nemmeno mezza parola, di inglese».

«Eh, è una lingua complicata», convenne.

«Ma le piace il suo mestiere, sì?».

«Moltissimo», disse Colnaghi. Gli aveva mentito d'istinto: non voleva deluderlo per una qualsiasi ragione, o risultargli meno simpatico. Non voleva che quella storia finisse subito.

«Allora non deve avere fretta». Si aggiustò il cappello in testa: «Be', vuole venire con me?».

«Al deposito?».

«Ma sì. Le faccio fare un giro, se non ha altro da fare».

Colnaghi inspirò, mentre cercava di capire se ne avesse voglia o meno. Poi alla fine cedette: «Perché no». Dopotutto, non aveva davvero nient'altro da fare.

Scesero giù per via Teodosio, sotto i platani. L'aria era ancora molto calda, e Ferri agitava di continuo la mano destra contro la guancia. Il deposito dell'ATM era all'angolo con via Casoretto, a due passi da dove abitava Colnaghi: ma naturalmente non ci era mai entrato. Il Ferri parlottò con un ragazzo dai capelli ricci e nerissimi, e spiegò che si era portato un ospite «per un tour». Il ragazzo rise e fece firmare a Colnaghi un registro.

Mentre entravano, costeggiando il binario d'ingresso, Ferri disse che si chiamava Lionello: «Un bravo ragazzo, umbro. Un po' matto. Suona la tromba». Frullò le dita nell'aria imitando lo strumento. «Qua li conosco tutti, sa. I più giovani ormai son come figli miei».

Il deposito era una sala enorme con arcate che sostenevano grandi vetri fumé. Di quando in quando esplodeva lo stridore delle ruote e dei vagoni spostati o messi a riposo: e dappertutto c'era un odore di ferro e grasso che a Colnaghi ricordò subito il sottoscala di don Luciano.

Camminarono al centro mentre il Ferri salutava i colleghi. Ogni tanto si fermava a parlare con qualcuno, e presentava sempre Colnaghi come «un professore che è venuto a farci visita». In cambio riceveva sorrisi o facce noncuranti. In un angolo Colnaghi vide un cesto metallico pieno di bulloni, e la sua mano partì da sola: li carezzò, passando i polpastrelli sulle zigrinature, ricordando i cento lavori che il prete insegnava a lui e agli altri ragazzi tanti anni prima.

Gli era sempre riuscito facile sistemare le cose, e vedere la bellezza negli ingranaggi bene addentellati, nei chiodi piantati secchi, nelle cerniere dei mobili che ruotavano alla perfezione: così come per la giustizia.

Armonia, fatica, gioia: il compenso di qualcosa che era rotto e poteva essere aggiustato.

«Le piace la ferramenta?», disse uno dei tranvieri ridendo.

«Mi ricorda la giovinezza», rispose semplicemente Colnaghi.

Il Ferri lo fece salire su una delle carrozze e gli spiegò come azionare il campanello d'avvertimento: «Provi, provi!», gridava, e così anche gli altri, e alla fine Colnaghi si ritrovò come un bambino alla guida di un tram fermo, mentre sparava all'impazzata una raffica di *den den den den!*

Il Ferri era entusiasta di poter fare da cicerone. Gli mostrò gli spazi quadrangolari scavati apposta per riparare i guasti; spiegò come gestivano i turni e fin dove si estendevano le linee; raccontò di qualche bello sciopero. Si vedeva che l'idea di andarsene da lì lo riempiva di tristezza: «Noi muoviamo la città, ci pensa? Io ci penso sempre. Un sacco di gente che salta su e io la sposto. E avrò viaggiato per quanti chilometri? Migliaia. E non sono andato da nessuna parte. Solo una volta al mare. Ma va bene così, per me è come se avessi visto il mondo. Lei non sa come si impara a conoscere la gente sui tram. Bella e brutta, intendiamoci: ogni tanto ho dovuto gridare anch'io e buttare giù dei balordi, come no. Ma non tornerei indietro». Puntò le mani sui fianchi e guardò tutto il metallo con cui aveva passato una vita.

Fuori, nella luce rosata del tramonto, il Ferri tornò malinconico. Sedettero sul marciapiede davanti al deposito, e nessuno dei due propose all'altro di andare al bar. C'era qualcosa di strano in quell'incontro, e avevano timore di spezzare l'incanto.

«Lei abita qui vicino, no?», chiese il tranviere.

«Sì, poco più avanti. Ma vengo dalla provincia».

«Dove?».

«Saronno».

«Giusto, giusto. Me l'aveva detto, una volta... Ho un collega, di Saronno. E uno di Cogliate. Brava gente, ottimi lavoratori».

«Mi fa piacere».

Poi tacquero. Il Ferri accese un'altra sigaretta, disse che avrebbe dovuto smettere almeno quindici anni prima, e infine si incupì definitivamente fissando la punta delle scarpe. Passarono due vecchie con la sporta della spesa, una ragazza con un cane, un uomo in bicicletta.

Colnaghi sentì che doveva dirlo, e alla fine lo disse, dopo essersi schiarito la gola: «Senta, riguardo sua nipote... Posso fare qualcosa?».

«Come dice?».

«Le chiedevo se... Insomma. Forse posso darle una mano per trovare una struttura migliore per sua nipote. Conosco un prete, su da me a Saronno, che forse può aiutarla. O anche... Non so. Qualsiasi cosa».

Il Ferri lo fissò stupefatto, poi scosse la testa vigorosamente: «Ma no! Ma no, che dice, si figuri. Va bene così».

«È sicuro? Perché per me non è un problema».

«Non potrei mai chiederglielo. Però grazie». Gli strinse un braccio, come gliel'aveva stretto la vedova

Vissani, come era già capitato tante altre volte: sempre lo stesso gesto, qui solo un po' più forte e virile. «Lei è una persona gentile».

E allora d'improvviso gli fu chiaro perché, da ragazzo, aveva scelto quella strada. Era talmente semplice, e come sempre aveva a che fare con il dolore: non con l'equità, o con qualche utopia, né con i piatti di un'ipotetica bilancia da pareggiare: alla fine si riduceva tutto solo e soltanto al dolore.

Una volta, ai tempi dell'università, Doni gli aveva detto che secondo qualche eresiarca Giuda era stato scelto come traditore da Dio perché il *migliore* fra gli apostoli. Un ruolo del genere poteva spettare unicamente a un uomo in grado di sopportare il peso del tradimento, l'orrore della dannazione – e ancora più l'eterno fango gettato sul proprio nome: un incolpevole reso colpevole per la storia. C'era destino peggiore? Eppure si era sacrificato volentieri. Era uno dei soliti tentativi di Doni di screditare la sua fede. E certo sembrava un'orribile devianza, ma come ogni devianza conteneva una particella di luce che l'ortodossia aveva smarrito. Ad essa si attaccò Colnaghi nel pensare che in fondo le persone più coraggiose non sempre erano le più amate; non sempre ottenevano quanto spettava loro. Era giustizia, quella? Forse no: ma era un monito migliore di molti altri.

Se ne avesse avuto la possibilità avrebbe salvato tutti, dal primo all'ultimo: *muori in un amore che non giudica*, come gli aveva detto quella professoressa di teologia, tanti anni prima, in un pomeriggio d'inverno.

Non poteva sopportare la presenza stessa del male. Non riusciva ad accettarlo, gli pareva un abominio anche di fronte a tutte le risorse della fede. Se gli fosse stato possibile avrebbe chiesto appello a Dio, argomentato come sapeva fare – con la sua logica impeccabile, una concatenazione perfetta di fatti e ragioni – e avrebbe ottenuto ciò che desiderava. Avrebbe salvato chiunque. Ma chi avrebbe salvato lui?

Il Ferri si stiracchiò, e improvvisamente il suo umore sembrò migliorare di nuovo. Gettò la sigaretta lontano sul marciapiede e si asciugò il sudore dalla fronte. Nel cielo si poteva vedere il cerchio incompiuto di una luna bianca, e un nuovo colore stava avvolgendo il quartiere. Anche Colnaghi stirò le gambe e un senso di pace avvolse i due uomini.

Ferri si guardò intorno e tirò un respiro, poi disse: «Be'. Se non altro è una bella serata. O no?».

«Sì», disse Colnaghi, e sorrise. «Sì, è davvero una bella serata».

23

Il mattino del 29 luglio 1981, alle ore 7 e 45, il sostituto procuratore Giacomo Colnaghi, di anni trentasette, uscì dal bar Pandolfi in via Casoretto. Era entrato di corsa per comprare del tabacco, poi ne aveva approfittato per bere un secondo caffè e leggere, senza troppa attenzione, le prime pagine del «Corriere della Sera». C'era il matrimonio di Lady Diana d'Inghilterra, e mentre usciva pensò con un sorriso a sua moglie, attaccata alla televisione per seguire l'intera cerimonia. Si ripromise di chiamarla per commentare la faccenda.

Fuori faceva già caldo e il magistrato si era arrotolato le maniche della camicia fino ai gomiti. Mentre slegava la bicicletta dal semaforo sentì una voce dietro di sé: «Il dottor Colnaghi?».

Si voltò con la chiave della catena ancora in mano: erano due uomini con il volto coperto da una sciarpa di cotone. I proiettili partirono uno dietro l'altro, e nell'onda che lo spinse indietro agitò solo appena le braccia. Sangue. Alzò lo sguardo e poi lo abbassò di nuovo e cadde a terra senza riuscire a proteggere la testa nell'impatto, senza più alcuna influenza sul proprio corpo.

Aveva pensato che fosse una questione di dolore. Aveva persino sperato di poter coltivare la sofferenza fisica: un desiderio d'espiazione, forse. Ma il dolore mancava. Era questa la cosa terribile. Dopo il colpo, dopo la fiammata, tutto era andato perso – mancava il respiro, ogni percezione, mancava il mondo. Dunque era così che succedeva: così, semplicemente, e non c'era alcun appello. Si sentì solo. Balbettò una preghiera, ma non ci riuscì: e comunque la cosa – giunto a quel punto – gli parve profana: ora non si trattava più di invocazioni, bensì di fede.

Come un naufrago, lambì l'ultimo respiro e scese nelle acque della sua fine. Cercò allora di reagire, di concentrarsi per quel poco che restava. Il terrore era enorme e lo aveva invaso spezzando ogni resistenza: non voleva morire, non voleva morire: eppure doveva farsi forza. La Grande Giornata delle Scuse, infine, era arrivata.

Pensò allora a Daniele, a Giovanni, a Mirella: chiese loro perdono, perché li amava e nient'altro su quella terra era mai stato più importante: pensò a sua madre che avrebbe dovuto fare i conti con un altro dolore così grande, un'altra volta, e per lei non trovò nemmeno una parola: piegato dal senso di colpa si concentrò su Mario e sulle storie che avrebbe venduto ancora, negli anni, sui tanti libri che avrebbe voluto leggere la sera, in un vagone del treno delle Nord, mentre i cieli della provincia correvano all'orizzonte, sopra i campi di granturco. Pensò a quel musone di Roberto Doni e alla figlia piccola che somigliava, per fortuna, alla madre: pensò a Micillo e alla Franz dal naso di poiana quando l'aveva abbracciato all'alba in questura, a don Luciano, alla vecchia combriccola del paese, e a chiunque durante la vita l'avesse sfiorato e illuminato del raro dono dell'amicizia.

E così per ultimo giunse a suo padre, l'Ernesto, l'uomo che mai conobbe, il ragazzo che gli lasciò un biglietto con il suo bacio: ciao papà, non vedo l'ora di incontrarti; so che non avrei dovuto morire in questo modo atroce e lasciare la mamma da sola, ma è andata così. Ho fatto bene? Sei fiero di me? Io di te lo sono sempre stato, perché anche se non ci siamo mai parlati, tu... E quando ogni forma scomparve Colnaghi capì che infine l'ora era giunta. Nessuna ambulanza sarebbe mai arrivata in tempo. Nessuno lo avrebbe salvato. Finiva così, com'era finita per tanti altri. Ebbe l'impulso di maledire chiunque, ma non era in questo modo che doveva andarsene; non sarebbe stato un uomo dell'ira.

Eppure un lampo improvviso lo lacerò da cima a fondo: un ultimo, insostenibile rimpianto per la vita che gli restava da vivere e il desiderio che ancora provava, tramonti d'inverno lungo i binari, parare un rigore a Daniele, battere ancora Mario in bicicletta, mangiare il risotto con Doni, portare la Mirella a Londra e rimettere a posto ogni cosa, essere infine l'uomo che si sforzava di diventare: no, no, no, voleva ancora tempo, ancora tempo! – l'indomito, ottimista, inguaribile Colnaghi. Ma tempo non c'era.

Nota dell'autore

Questo libro forma un dittico ideale con il precedente, *Per legge superiore* (Sellerio 2011). I due romanzi sono indipendenti fra loro, ma si svolgono nel medesimo universo narrativo. Giacomo Colnaghi e Roberto Doni ritornano anche dove non sono protagonisti: il primo consegna un'eredità con la sua morte, il secondo la raccoglie in età matura.

Morte di un uomo felice è stato scritto fra i primi mesi del 2012 e l'inverno 2013-2014, e ha beneficiato molto di alcuni ritiri in montagna a casa di mio zio (grazie). Il personaggio di Giacomo Colnaghi è del tutto finzionale, ma parzialmente ispirato a due magistrati democratici e di grande valore morale, entrambi uccisi da Prima linea: Emilio Alessandrini e Guido Galli. L'intero libro è filtrato dallo sguardo del protagonista, e mescola uno sfondo di fatti storici con la pura fiction (l'omicidio Vissani, la cellula scissionista delle Br che appare qui, eccetera).

Ho consultato numerosi testi: fra di essi *Toghe rosso sangue* di Paride Leporace (Città del Sole Edizioni 2012), *Come mi batte forte il tuo cuore* di Benedetta

Tobagi (Einaudi 2009), *Figli della notte* di Giovanni Bianconi (Dalai 2012), *Una vita in prima linea* di Sergio Segio (Rizzoli 2006), *Il silenzio degli innocenti* di Giovanni Fasanella e Antonella Grippo (Rizzoli 2006), *L'orda d'oro* di Nanni Balestrini e Primo Moroni (Feltrinelli 2003), *Milano e gli anni del terrorismo* di Antonio Iosa e Giorgio Paolo Bazzega (Fondazione Carlo Perini 2010), l'intervista di Rossana Rossanda e Carla Mosca a Mario Moretti, *Brigate rosse. Una storia italiana* (Mondadori 2007) e *Aula 309* di Renzo Agasso (Sironi 2013). Molto utili anche gli archivi di «Lotta continua» disponibili su Fondazionerrideluca.com, e le risorse visive di Lastoriasiamonoi.rai.it. Per finire, le idee della professoressa Borghi sulla legge del taglione nella Bibbia sono simili a quelle espresse da Eugen Wiesnet nel magnifico *Pena e retribuzione: la riconciliazione tradita* (Giuffrè 1987).

Per le parti dedicate al padre di Colnaghi sono stati fondamentali i volumi *Fuori dall'officina. La resistenza nel saronnese* di Giuseppe Nigro (Grafiche Trotti 2005) e *La Resistenza e i saronnesi* a cura di Nino Villa (Editrice Monti 1995). Altri aneddoti li ho raccolti da fonti orali, cercando di salvare questa storia di Resistenza forse ancora poco nota. Anche in tal caso i personaggi sono del tutto finzionali, ma ho rielaborato con la fantasia alcuni eventi realmente accaduti (come il furto delle tessere annonarie).

Devo infine ringraziare alcune persone per il loro supporto, le storie che mi hanno raccontato, o le critiche

che hanno migliorato le prime stesure di questo libro: i miei genitori e mio nonno Giuseppe, Francesca Attanasio, Benedetta Tobagi, Federica Manzon, Barbara Bernardini, Danilo Deninotti, Claudia Durastanti, Marco Missiroli, Gigi Campi, Armando Spataro.

G. F.

Indice

Questo volume è stato stampato
su carta Palatina
delle Cartiere di Fabriano
nel mese di settembre 2014
presso la Leva Arti Grafiche s.p.a. - Sesto S. Giovanni (MI)
e confezionato
presso IGF s.p.a. - Aldeno (TN)

La memoria